U0065898

童話陪審團

小美人魚，你的交易不合法！

耳熟能詳的童話故事 X 連結生活的公民素養
探究無所不在的民法知識

法律白話文運動 著

目錄

理解法治教育，從小做起會更好！

文／劉珞亦（《法律白話文運動》社群總監）

「法律白話文運動」是由一群期待臺灣擁有法律專業媒體的法律人所組成的。我們一直以來都是透過比較白話、通俗的方式，來跟大眾講解法律的概念，希望能讓這個社會更理解法律，免於產生不必要的誤會。而法治的概念，如果能從小做起當然更好，於是有了這次《童話陪審團》的出書計畫。不過，當我們起心動念開始書寫時，發現要將繁雜的法律知識轉化成孩子能理解的語言，難度也更高了。謝謝本書的作者郁真、涵茵，每次都能寫出有趣又好玩的文案，讓法白的精神發揮到極致。我們希望透過這個系列，讓孩子從一個個童話故事的劇情出發，引領他們進入法律世界與思考，在小讀者不知不覺就讀完的過程中，自然而然就了解法律知識。

書名叫做《童話陪審團》，但是目前臺灣法院中並沒有這種陪審團制度，只有 2023 年即將上路的「國民法官」制度。所以對於書的標題我們掙扎很久，但又想不到更好的狀況下，考量到「陪審團」本身詞意概念對一般人而言較直觀，加上我們希望能夠讓孩子從共同參與的角度，與童話法官一起思考這些法律事件，因而命名為《童話陪審團》。

其實為了這個，我們辦公室辯論了一個早上，討論到底要不要用這個標題當作書名。

為什麼要特別提及這件事？因為這就是我們工作室的日常——討論法律

的概念，更多的是討論一個法律概念要怎麼呈現。老實說，法律條文其實滿無聊的，如果沒有特別需要涉及法律案件，一定會覺得我又沒犯罪，法律到底關我什麼事。

法白在做的事情，從表現上是傳達法律概念，但如果更深層的來看，你一定會發現，我們都在思考怎麼引發大家的好奇心來了解法律。可能是一個有趣的標題，可能是社群文案中的文字必須要轉譯成非常簡單的模式，又或是在我們 podcast《法客電臺》中加入一些有趣的橋段，才能成為吸引大家關注的餌，讓大家願意讀下去、聽下去，裡頭我們都會盡可能融入法治的現場，讓讀者、聽者不知不覺中就吸收法律的概念。而明年要上路的「國民法官」，就更是一場大型的法治教育現場，要人民一起參與審判，增加多元的視野來認定事實，但同時也會需要法官、檢察官一起來向參與審判的民眾講解案子中的法律概念。當法治和人民的關係更加靠近，並且進展到法庭的時候，那就意味著未來需要更多人理解法律這件事。

此外，隨著科技越來越發達，法律的觸角更是深入到每天的日常行為中，例如網路上創作者的智慧財產權、手機的普及增加隱私權的保護焦慮、還有到處充滿鏡頭的城市或日益嚴重的數位性暴力等議題，這些在在都顯示法律充斥在我們生活的每一個角落，理解法律的重要性已經與日俱增。

因此，相對於 50 年前，對現代人而言，「年紀越小就開始了解法律」的必要性也更加提高了。希望法白和親子天下合作的《童話陪審團》，可以讓大家藉由有趣的童話故事，來思考裡面的法律觀點，不知不覺中理解一些法律的知識。

你準備好翻開這本書了嗎？

用法律了解自己生長的地方

文／蔡涵茵（《童話陪審團》作者之一）

法白一直致力於提供正確、簡單易懂的法律知識，讓大家得以思考政策是否妥當、適合。我們發現近幾年孩子對於自己身分的權利意識越來越高，相信一定跟資訊的近用性越來越高有關。而這本書的誕生，是希望可以透過門檻較低的童話故事，將法白在努力的事，往更小一點的年紀扎根。因為從小可以接觸法律的邏輯，絕對不僅僅是避免觸法，而是更有助於引領孩子及早開始培養公民意識，去思考哪些規定是合理的，法規的邏輯又是如何。我們以童話為題，希望在有趣的故事以及不免俗的寓意外，可以讓孩子一起發現其中有不少可以用「法律」來詮釋的部分。

第二冊聚焦在《民法》上，首先必須要澄清的是：即使主軸是《民法》，每個故事討論的可能也不是全部的法律問題，尤其是可能涉及的公領域的法規，都值得大家把上一冊的思維，繼續沿用到這一冊來思考。民事法規比起《刑法》、《憲法》等，是更加貼近孩子生活的法律，日常生活中諸如去便利商店買軟糖、跟同學交換東西等，其實背後都有法律在保護雙方的權利義務。此外，我們也特意選了許多出自於臺灣民間的傳說，像是《小木匠阿多朵》、《廖添丁》、《好鼻師》等都是臺灣的傳奇故事。我相信，生長在這片土地，若能透過自己的故事去講自己的法律會更有意義，因此私心加入了這些或許大家並不是這麼熟悉的故事。希望大家可以透過這本書，同時更熟悉屬於臺灣的故事，因而更加熱愛自己所生所長的地方。

現在，就跟著我們
一起加入童話陪審團，
開始進入童話現場吧！

五件你需要知道的法律小事

每一個國家都有不同的法律制度來管理、約束人民，在《童話陪審團》刑法篇中介紹了《刑法》或是《憲法》的公法內容，但是究竟什麼是公法，什麼又是民法呢？

廣義上的公法就是用來規範「國家和人民之間的法律關係」，例如你開車闖紅燈，會造成社會上交通安全的危險，這是國家不希望看到的狀況，所以為了維護社會秩序與安定，需要相關的行政法規介入，例如《道路交通管理處罰條例》會懲罰違反規範且破壞或威脅的行為，以保護人民的安全。

如果今天發生的事件與國家無關，而是人民和人民之間發生的事，這時候就適用《民法》。例如房客沒有繳房租，雖然損害了房東的權利，但實際上不會對國家造成什麼危險，原則上按照房東與房客雙方契約的規定來進行處理。如果人與人之間有任何的法律關係，或是當糾紛發生時，《民法》會給予相關規範。

不過，因為人民的生活包羅萬象，不可能只靠一部《民法》就能規範所有的法律內容，因此針對不同領域也會產生不同的「專法」，例如為了保障人民向企業購買物品權利，因此有《消費者保護法》；勞工與老闆的契約關係則受《勞動基準法》規範，例如一天工時原則上就是 8 小時，員工加班要給付加班費，該法也讓老闆與員工在訂定勞動契約時，有所依歸。

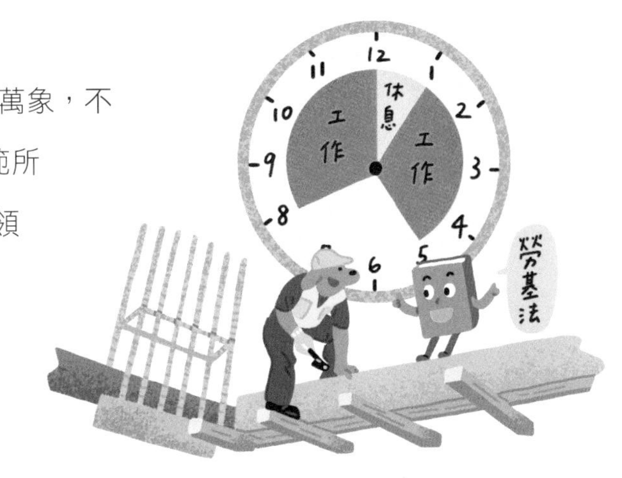

因此，《刑法篇》介紹的多是國家禁止人民做的行為；這一本《民法篇》則是人與人間產生的法律關係，包含買賣、車禍、破壞所有物等。法律就像是人民堅實的伙伴，永遠在那裡等著我們去親近它。

仔細想一想，如果在學校跟同學吵架時，老師會動用「法律」來裁決嗎？答案應該是不會吧？通常需要用到法律來協助解決問題，都是很嚴重的狀況。一般來說，大家的交流都是按照「習慣」行事，習慣久了才會慢慢變成約定俗成的「規則」，最終進入立法院、變成法律。每一個國家都會因為有不同的習慣而有了不同規定。

《刑法》載明國家禁止大家做某些事情，而《民法》在概念上比較放寬。臺灣的《民法》第一條就這樣規定：「民事，法律所未規定者，依習慣；無習慣者，依法理。」也就是說，習慣也可能有法的效力。

不過，如果發生糾紛的時候，究竟該怎麼處理呢？或許你曾在一些戲劇中看過，古人會「擊鼓鳴冤」，讓縣太爺可以出來審理案件，為受害者討回公道。時間來到現代，人民如果與人有摩擦，可以直接要法官來評評理嗎？

當人民發生糾紛時，通常會先看看是否符合強制調解，或是一定要進入訴訟程序。若是訴訟上的和解，法院當然會幫忙進行處理，當雙方都接受後，就會作成筆錄，這個和解會和判決有相同的效力，如果之後有誰不遵守，就可以直接聲請強制執行，用強制力把錢拿回來。

就算是私下的和解，還是具有法律上的效力，因為會成立一份「和解契約」，原則上雙方都還是要遵守契約，但如果突然有一方不遵守，就要先提起訴訟，請求要履行這份契約，如果法院判決你贏，就可以像上面說的一樣的來強制執行。

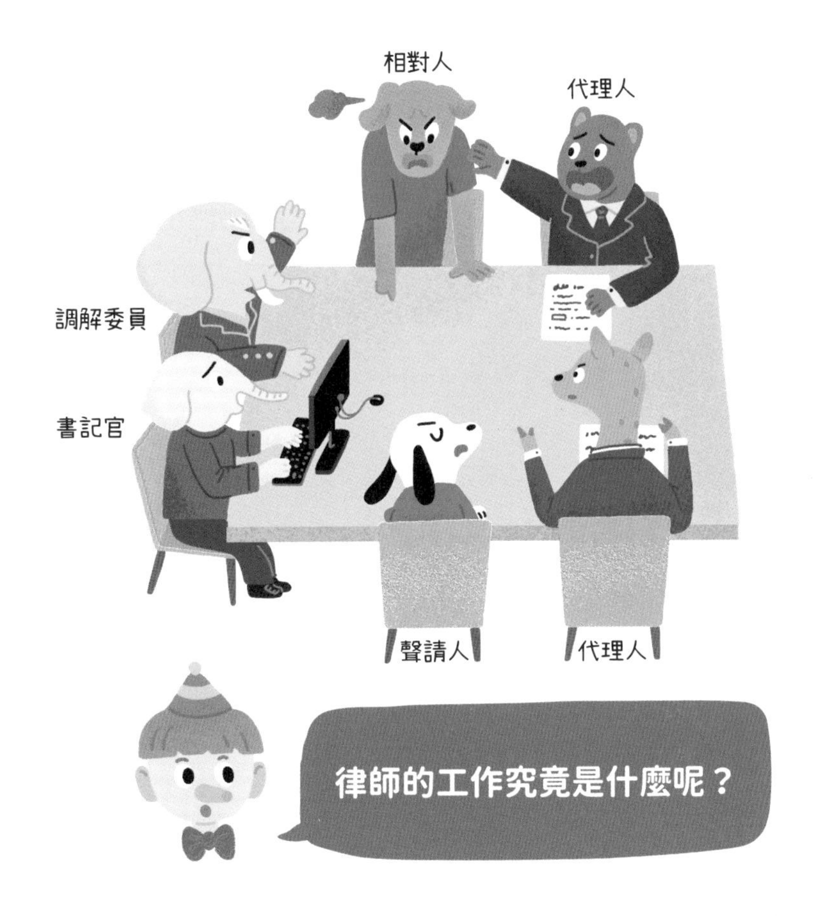

律師的工作究竟是什麼呢？

一想到律師，你會想到的是什麼呢？跑法院、替當事人打官司、還是接受法律諮詢？

律師在承接一個案件前，需要與當事人見面商談案情，也需要研究法律資料、蒐集證據、撰寫訴狀、開庭辯護，有些甚至要到看守所去見在押的當事人等。

律師經常被問的問題是：「我這樣的行為會不會有罪？我這樣需要賠多少錢？」但通常答案都是：「不知道！」

由於法律的規定只是一個大致上的方向，沒有辦法完全鉅細靡遺把每一種狀況都寫進去，例如《民法》有規定「侵權行為」，但什麼是侵權行為？有可能是車禍，也有可能是打架，亂罵人等，每一種樣態都有可能造

成別人的權利受損，但不同的權利有不同的判斷，損失也會不同。律師會以各種不同的判決作為依據，可能你的案件比較接近A判決，律師就有可能拿這個判決來做為有利的主張，再給當事人一個大概的方向。

因此律師可能需要了解更事實，才能更精準的找到類似的判決。然而，只要事實有點不同，結果也有可能會完全不一樣，所以法律人不僅要懂法律，還要看更多的判決，才能慢慢分析給大家聽。

基本上人民的糾紛都可以透過《民法》來進行求償，因為《民法》就是規範人民和人民之間的事情。依照不同的情況，要求也會因此有所不同，像是發生車禍，財務損失 10 萬元，當然就會想要求償 10 萬；土地被占領，那麼要求可能就是拆屋還地，及這段時間不能利用土地的損失賠償；買賣東西時，如果一直沒有收到商品的話，那麼可能就是請對方履行契

約，交出他應該要交出的產品。由此可知，民法其實要幫助人民的，不完全是「正義」，不是判別對或錯，而是希望大家都拿到應該要獲得的，或是填補損失，讓事情和平的結束。

不同的國家會因為政治文化以及社會風俗不同，法律的規定也會因此不同。例如在臺灣，口香糖隨處可見，但想在新加坡吃到口香糖卻是一件非常困難的事，根據新加坡的《食品販售法》規定，新加坡當地禁止販售口香糖，也不能進出口口香糖。（這個規定後來有修正，如果適用於治療用途的口香糖，就可以販售，但是也是由專業人員來提供。）樹立新加坡政治文化的前總理李光耀，也從不諱言新加坡就是一個保姆國度，對於人民的管理就是要用比較嚴格的規範來處理。例如，新加坡則規定捷運禁止飲食，一旦發現需罰新加坡幣 500 元（約臺幣 1 萬元）；帶易燃物上捷運，則是罰款新加坡幣 5000 元（約臺幣 10 萬元）；另外，也不能帶「榴槤」上捷運喔！

01 用鞭炮嚇年獸，是對的嗎？

傳說，每到除夕晚上，就會有隻可怕怪獸來襲，無論是動物或人，無一倖免。因此每年除夕夜前，村民們便會攜家帶眷往山上避難。

年獸來了！牠來抓人了！
大家快逃啊！

有一年，不知道從哪裡來的一個老爺爺，挨家挨戶的向村民乞討……

好心人，請給我一點食物吧！
老爺爺，年獸快來了，你趕快躲起來。

不嫌棄的話，請來我家吃頓飯，吃完就趕快一起去躲年獸吧！
沒關係的，為了感謝你，我就留下來幫忙趕走年獸吧。

老婆婆雖然覺得疑惑，但整理好行李，就和其他村民避難去了。

吃飽飯後，老爺爺身穿紅色衣服，又在每戶人家的門口貼上紅色的紙，並在附近布置了許多鞭炮。等年獸抵達後，便點燃鞭炮。

好可怕！救命啊！

隔天村民回來後，發現村莊完全沒有被大肆破壞的痕跡，覺得十分驚訝。

難道年獸今年沒來嗎？他怎麼能睡得這麼安穩？
ZZZZZ

原來是老爺爺成功用鞭炮和貼紅紙趕走年獸，於是他教村民這些趕走年獸的方法。這就是過年時會貼春聯、放鞭炮的由來喔！

原來年獸怕鞭炮！我們只要拿出牠害怕的東西嚇牠就好了啊！

你怕什麼，我就偏要做什麼！

我們常說：「要擊敗敵人，就要先找到他的弱點。」故事中的村民，一開始只能消極的對抗年獸，以「逃跑」來避開年獸的攻擊，後來陰錯陽差發現了年獸的弱點後，為了驅逐年獸、保護自己的性命，故意利用年獸害怕「紅色」及「鞭炮聲」的弱點嚇跑牠就是一個例子。

然而這種「你害怕什麼，我就要做什麼」，是有可能因為侵害別人權利，而必須負起法律上的責任喔！不過，究竟法律賦予我們哪些權利呢？《民法》提到：人民的生命、身體、健康、姓名、名譽、自由、信用、隱私等權利應該受到保護，即使不是法律上明確指出的「權利」，但只要與「法律上所認定的利益」有關，也會受到法律一定程度的保護。

當某個人出於「故意」或「過失」，「不法」的侵害了另一個人的權利，就是一種「侵權行為」。根據《民法》規範，在侵權行為發生時，受害人可以向侵權行為人請求賠償損害。因此，法律上對於侵權行為規範的目的就在於「填補受害人的損失」，釐清「誰」要負賠償責任、賠償「範圍」為何，以及如何賠償。舉例來說，如果有人騎車闖紅燈，卻不小心撞到路人而導致對方骨折，雖然騎士不是故意的，但是因為他的「過失」而不法侵害了路人的身體權，所以仍然必須賠償路人受到的損害。

在這個故事中，到底誰侵害了誰的權利？

年獸大鬧村莊，造成村民的財產損壞；而村民貼春聯和放鞭炮嚇跑年獸，也對年獸造成身體受傷或是內心驚嚇，看起來雙方都有損失，那麼究竟誰侵害了誰的權利呢？這得從事件的前因後果來看。

在故事中，年獸大鬧村莊是事件起因，而村民是為了預防年獸的侵害才在家門口點燃鞭炮、貼紅紙嚇跑年獸，這樣的行為在法律上屬於「正當防衛」。而且，村民只是嚇跑年獸，他們的防衛行為沒有到「過當」的程度，也沒有導致年獸有生命危險，因此在這個故事中，即使村民侵害了年獸的權利，也會被視為例外，不需要對年獸負民事的賠償責任。

不過，如果年獸乖乖的，而村民無故欺負年獸，還利用年獸的弱點傷害牠的話，就可能會構成《民法》中的「侵權行為」，而有法律上的責任喔！這種故意利用他人對於特定事物的不良反應而使他人處在驚嚇、害怕的狀態，可能會對受害人的身心健康造成影響，進而侵害到對方的「人格權」。

要是村民們無故欺負年獸，侵害了年獸的人格權的話，年獸究竟可以找哪一個人負責呢？答案是：任何一個都可以！只要是沒有正當理由就欺負年獸的村民，年獸都可以請求賠償。因為所有的侵權行為人都有賠償責任，所以受害人可以選擇要對「全部」的行為人或只對「其中一人」請求賠償。因此，被欺負的年獸可以向聯合起來貼紅紙、放鞭炮嚇牠的村民們請求賠償喔，或是決定只找特定幾個村民賠償啦！

憲法給我自由，想做什麼是我的自由，不行嗎？

雖然憲法給了我們許多自由，不過這不表示什麼事情都可以做喔！因為如果故意以自由之名行侵害別人權利之實，法律是不允許的。舉例來說，明明知道某個同學很害怕蟑螂，只要看見蟑螂就會害怕得全身發抖、無法動彈，卻故意每天將蟑螂屍體或是蟑螂玩具放置在他的抽屜裡，或是穿著蟑螂圖案的衣服在他面前晃來晃去，這樣出於故意而去侵害同學的「人格權」是不對的。

雖然行為人可以主張「要穿什麼圖案的衣服是自己的『行動自由』，不算是『不法』的侵害。」但假如他做出這些行為、行使權利是以傷害他人為目的，很可能就會被認為是「權利濫用」，並被視為「不法」行為了！

權利濫用的行為人，最後還是會因為違反侵權行為的規定，必須對受害人負起賠償的責任。因此，法律給我們的權利並不是「免死金牌」，不能無限上綱，如果以自由權為由，趁機侵害別人的權利，還是有可能會受到處罰！而且依據《民法》規定，受害人也可以向法院請求「除去侵害的狀態」或者「防止侵害的發生」。

年獸破壞了我們的房子，牠應該要怎麼賠償？

既然侵權行為制度是為了「填補損害」，只要有損害發生時，就會有後續賠償、填補損害的判定。其中，損害分為「財產上的損害」及「非財產上的損害」兩種類型，前者如寵物死亡、錢包失竊、東西損壞、房子被破壞等；後者則像是身體受傷、遭遇精神上痛苦等。不過，如果是「非財產上的損害」，只有在法律有明文規定的才能夠請求賠償。

因此年獸破壞房子，侵害了村民的財產權，必須負起賠償責任時，原則上要將房子回復成損害發生前的樣子，不過當「回復原狀」顯然很困難時，就應該改以金錢賠償。例如不小心弄壞同學的筆，照理說應該要買一枝一模一樣（品牌及型號皆相同）的筆還給對方，但要是那枝筆是同學在國外購買的限量版文具，或者是家族世世代代流傳下來、早已停產的筆，難以要求賠償責任人歸還同樣的筆時，法律也有規定，應改成以那枝筆的「價錢」賠償對方。

所以假設年獸被判必須賠償的話，但牠又無法讓村民的房子恢復原狀，那可能就得努力工作賺錢，賠償給村民了！只是不曉得年獸這種大吵大鬧的個性，可以做什麼工作來賺錢賠償哩！

如果是寵物造成別人權利受損，主人需要負責嗎？

A 主人當然要負責啊！

因為動物占有人對寵物有管束責任！

雖然動物不是法律的規範對象，沒辦法要求動物「出來負責」，但是立法者認為「動物占有人」既然對寵物有支配力，那麼占有人就有義務要管好牠，避免牠「搞破壞」，甚至造成造成他人損害。所謂的動物占有人有可能是飼主本人，也有可能是飼主以外的人，例如帶狗去散步的人。

當「動物占有人」沒有擔負起對動物管束責任，造成他人損害，立法者認為這是一種特殊的侵權行為類型，原則上「動物占有人」就必須為動物的行為負責、賠償受害人。因為法律是在規範「人」的行為，動物也無法意識到什麼樣的行為受到法律禁止。闖禍的動物雖然調皮，但牠們本身並沒有錯，重點還是在飼主的養育及訓練方式，既然養了牠，就應該要為牠負責。

近年常有出比特犬咬傷人的事件，相較於一般犬隻，比特犬的攻擊性較強，目前被列為具有攻擊性的寵物，如果帶著比特犬出入公共場所時，就要有成年人伴隨，而且必須將狗繫上牽繩或狗鍊，並配戴透氣口罩等防護措施。一旦發生咬傷事件，法院可能會認為飼主飼養有攻擊性的犬隻，卻未採取有效防護措施，造成別人受傷，是觸犯了「過失傷害罪」，可是會被處罰的唷！

動物占有人

指對於該動物在事實上有直接管束能力的人（如飼主），以及受到指示、對該動物有管束能力的人，像是因飼主出國而暫代照顧寵物的朋友等，都算是動物占有人。

人格權

人格權是指維護個人主體性及人格自由發展、尊重個人尊嚴之權利，包含生命、身體、名譽、自由、信用、隱私、貞操等權利，例如人有自由命名姓名的權利、決定個人肖像是否用於商業宣傳的權利、子女享有獲知血統、確認生父身分的權利，都算是人格權的一種。其中，針對「著作」，法律也有著作人格權相關的規範，指的是「著作人」的公開發表權（決定是否將著作公諸於世、何時公開著作、以何種方式公開發表的權利）、姓名表示權（決定是否具名發表、以何種名稱發表的權利）與禁止不當修改權（要求他人不得以扭曲或其他方式改變著作內容，導致損害著作人名譽的權利）。

下次遇到老是欺負你的
同學，可以對他說：你
侵犯了我的權利！

02 醜小鴨居然被霸凌了？！

醜小鴨的故事

炎炎夏日，鴨媽媽順利孵出了三顆蛋，但有一顆蛋始終沒有任何動靜。

那顆蛋這麼大，八成是火雞偷放的，還是趁早放棄吧！

但是鴨媽媽卻沒有放棄任何希望，持續孵著那顆蛋，直到蛋殼終於破了！

怎麼像是一顆灰毛球？難道真的是火雞？

鴨媽媽教所有的小鴨划水時，發現灰毛球游得比其他小黃鴨還好。

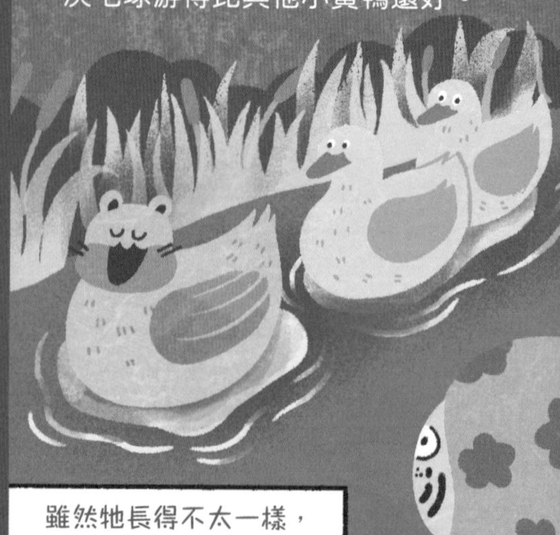

雖然牠長得不太一樣，但可以游得這麼好，肯定是我的孩子。

不過，灰毛球卻因為牠的外表吃足了苦頭……

你長得這麼奇怪，
我們不跟你玩！
你怎麼長這麼醜啊！
我們來捉弄
那隻醜小鴨！
走開！這裡不歡
迎你！醜小鴨！

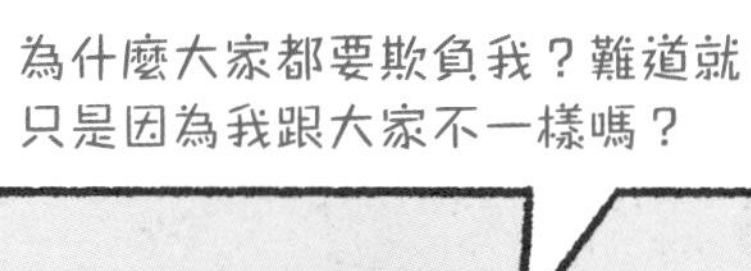

為什麼大家都要欺負我？難道就
只是因為我跟大家不一樣嗎？

灰毛球下定決心離開家，到外頭冒險。

時間過了很久，灰毛球不知道自己的身體已經有了大變化。
有一天，牠在湖邊發現了一群美麗的天鵝……

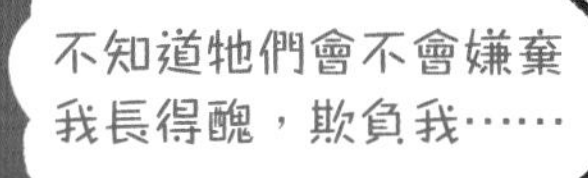

不知道牠們會不會嫌棄
我長得醜，欺負我……

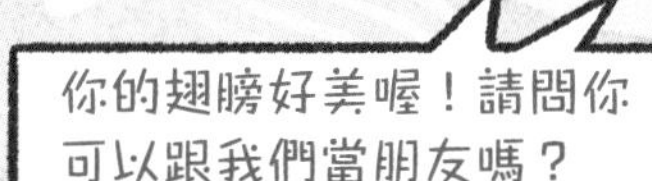

你的翅膀好美喔！請問你
可以跟我們當朋友嗎？

霸凌別人，可能要扛起民法責任！

你是否曾看過像故事中的醜小鴨一樣，因為外表被欺負，甚至發生霸凌事件呢？在霸凌事件發生時，你的身分是欺負別人的加害者、還是受害者或旁觀者呢？

或許你會有疑問，只是惡作劇、欺負一下同學，應該沒那麼嚴重、不算是霸凌吧？不過，在法律上，只要是「個人或集體持續用言語、文字、圖畫、符號、肢體動作、電子通訊、網際網路等各種方式，直接或間接對他人故意為貶抑、排擠、欺負、騷擾或戲弄等行為」，因而使被霸凌者處於一個有敵意或不友善環境，產生精神上、生理上或財產上的損害，或影響正常學習活動的進行，就是「霸凌」。

只要有人的地方，就可能會出現霸凌事件，其中，在校園中所發生的霸凌事件，尤其受到社會大眾重視。不過可別以為校園霸凌只發生在學生之間，許多真實發生的社會案件顯示，學校中的校長、教師、職員、工友、學生都可能是校園霸凌加害者。

當霸凌行為導致對方的權利受到「損害」時，就需要承擔法律責任。至於需要負起哪些責任或是賠償，則會因為被霸凌者受到的霸凌行為形式，或是受到損害的「權利」不同，霸凌者因此需要擔負不同的法律責任，包括刑事或是民事責任。

臺灣曾發生過一個案件，A 同學三度打了 B 同學巴掌，導致 B 同學的眼鏡壞掉、臉也紅腫，因此法院判 A 同學需要賠眼鏡修理費跟精神慰撫金。也曾發生 C 同學透過網路通訊軟體勒索 D 同學，要 D 同學每天交 50 元零用錢給自己，最後被依《刑法》恐嚇取財罪移送地檢署偵辦。

另外像是冷嘲熱諷、捏造被霸凌者曾做過的事，則可能會侵害到對方的「名譽權」，也可能涉及《刑法》上妨害名譽罪章的規定。因此，不同的霸凌行為，到了法院時，會依據實際情形而有不同的判定。此外，當霸凌事件發生時，也可能會對被霸凌者的心靈造成嚴重的創傷，這種「非財產上的損害」，也可以向對方請求賠償，也就是俗稱的「精神賠償」。但是可別以為被霸凌者收到賠償後，就能覺得被補償而復原，因為心靈創傷不是這些金錢賠償可以彌補回來的！

如果孩子霸凌同學，爸媽也有責任嗎？

法律上，為了避免侵權行為人因年紀太小、沒有能力好好承擔責任，導致被害人求償無門，因此要求法定代理人要「連帶負責」；甚至當侵權行為人是沒有「識別能力」的情況下，法定代理人更必須要「獨自」承擔責任。

這裡的「識別能力」是指：「認識到自己的行為在法律評價上是應該要負責任」的能力。不過並不是要求侵權行為人必須非常了解法律，而是只要知道這樣做是違反法律規範，與行為人的年齡限制無關。由於法定代理人的

責任是在青少年尚不明事理的時候，扮演指引他走向符合社會規範要求的角色，亦需負起對青少年的教養以及指導的監督責任。不過，如果法定代理人在法律上被認定為「沒有鬆懈對未成年人或限制行為能力人的監督」或「雖然有監督但仍然無法避免他們闖禍」的兩種情況下，是可以主張免責的。

儘管如此，法律也沒有要讓受害人只能摸摸鼻子，自行吸收損失，因此為了平衡被害人的損失，如果發生上述情況，被害人仍可以向法院聲請，讓法院去衡量青少年、被害人跟青少年的法定代理人間的經濟能力後，賠償被害人所受的損害，或至少賠償一部分的損害。

所以就算是小學生，在學校霸凌或欺負同學，導致同學權利受損的話，可是要讓爸爸媽媽一起為你的行為負責唷！

如果我去上學被霸凌，
有誰可以幫助我呢？

如果在學校被霸凌時，到底該怎麼辦呢？

第一時間能求救的對象除了老師跟爸爸媽媽之外，也可以向教育部或是縣市反霸凌專線投訴。學校的防制校園霸凌因應小組會開始進行調查，如果評估確認後，則會啟動霸凌輔導機制。

如果霸凌者是兒童或青少年時，會由《兒童及少年福利法與權利保障法》來規範。根據這部法律以及《校園霸凌防制準則》的規定，學校的教育人員在收到校園霸凌投訴時，也應該要向所屬的社政主管機關進行通報。另外像是社工、警察在執行相關業務期間，如果發現兒童及少年有遭受傷害的情形，也應該向主管機關通報，而且皆必須要在 24 小時內完成。此外針對罰則，《兒童及少年福利與權益保障法》針對霸凌別人的人，會處以 6 萬元以上 30 萬元以下的罰鍰，並公布他們的姓名，由此可見政府對霸凌的重視。

此外，在霸凌事件中，如果你處於旁觀的角色，當下或許因為各種原因無法伸出援手，但你可以做些什麼事來幫助被霸凌的同學呢？答案是，你可以透過向學校檢舉來請求師長協助，而且根據法律規定，檢舉人的身分是會被保密的。

雖然霸凌事件很難從大人對青少年的管制就能根治，但是我們的國家政策也在改變，給予學校許多的指引去調整學校對於反霸凌政策的方針。想要建立一個友善人際的校園或是生活空間，更應該從你我做起，唯有每個人能在心中尊重每個人的不一樣，我們才不會去看不起、歧視與我們不同的人。

我只是好意幫忙，卻不小心導致別人受傷，該怎麼辦？

A 許多人面對校園霸凌或是在校園中需要協助的人，不願意伸出援手，除了怕惹禍上身外，也擔心萬一發生事故，導致對方受傷，反而因此得面對法律責任。

以前曾經發生於某間高中的一個玻璃娃娃（先天性成骨不全症者）事件。某一天，因為下雨緣故，體育老師將上課地點從操場改至地下室，患有玻璃娃娃症的顏姓少年在同學詢問下，有意願前往地下室上課。不過，因為需要下樓，且學校沒有設置無障礙設施，因此有同學基於好意，詢問後，抱其下樓，沒想到由於天雨路滑，該名同學因此摔倒，最後導致顏姓少年也因為摔倒，導致顱內大量出血而死亡。

這個案件的民事判決在高等法院與最高法院間來來回回調查，並針對該名基於好意的同學，應該知道有哪些需要注意的地方有激烈的爭辯。在二審判決中，法官認為一般人都知道下雨路滑，加上要抱下樓的對象又是玻璃娃娃，稍有碰撞就可能造成嚴重骨折，更應該小心謹慎才是，且協助的同學已經 16 歲了，應該要知道這些道理，因此不能因為其善意協助而免去他的責任。

不過經過數次調查討論後，最後判決確定該名協助的同學是沒有責任的，因為判斷標準應該是跟同年齡、具有相當智慧及經驗的未成年人比較；又因為幫忙的同學是無償協助，對於該少年應該要注意到什麼程度更應該從輕決定；此外在對方摔下時，他仍緊抱同學未鬆手，明顯可以發現這個同學並沒有故意或是重大過失，因此並不認定他有侵權的行為。

這起事件的發生後，也讓該所高中、甚至整個社會更重視無障礙空間的設置，包括在階梯加設警示磚、止滑條、殘障坡道、階梯加裝扶手，希望能提供身障生更友善、安全的環境。

法定代理人

當遇到心智不成熟或是有精神障礙、心智缺陷而無法認識自己的意思具有法律效力時，會由法定代理人介入協助，例如父母為未成年子女的法定代理人，監護人在監護的權限範圍內為受監護人的法定代理人。

罰鍰及罰金

罰鍰是違反行政義務時，經行政機關判定所受到的處罰，屬於行政罰的一種手段，常見的科處機關為交通部門與警察部門；「罰金」則是在構成刑法所規定的罪時，經法院判決後受到的處罰。

更審

文中提到「案件在高等法院與最高法院間來來回回」的情況發生，是因為我國的第三審，也就是最高法院，其採取的是「法律審」，原則上就二審高等法院所調查的事實為基礎，去看適用的法規有沒有錯誤，而不會再次調查相關的證據。如果最高法院在審理的過程中，認為有什麼需要調查的事情沒有調查完全，就會透過廢棄二審高等法院的判決，發回給高等法院要求重新調查該調查、釐清的事項，而可能導致「在高等法院與最高法院間來來回回」的情況發生。

03 香味？屎味？傻傻分不清楚？

賣香屁的故事

我是哥哥，房子跟這邊的土地歸我！
那邊的畸零地歸你。至於那隻牛和狗……

我們讓牛自己選，我牽牛頭，
你牽牛尾，看牠跟誰走！

弟弟不忍心看牛痛，很快就鬆手了。

只剩下你跟我
一起作伴了！

可惡！那隻狗居然
這麼厲害！

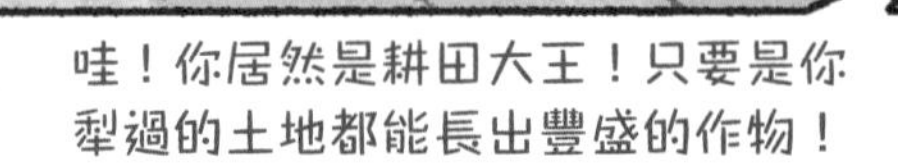

哇！你居然是耕田大王！只要是你
犁過的土地都能長出豐盛的作物！

嫉妒的哥哥偷走了弟弟的狗，
但是狗卻一動也不動。
快點幫我耕田啊，
不然饒不了你。

哥哥一怒之下，居然就
把黑狗打死了。
埋葬狗的地方長出了奇

弟弟吃了黑豆子後，一直放屁。而且，屁……居然是香的！
大家都爭相排隊，付錢來聞弟弟的香屁。

這香屁讓人心情好耶！
快輪到我了！
可惡，我也想要
靠香屁賺錢。

來喔來喔！超讚香屁，
快來買喔！讓你神清氣
爽、治百病喔！
花香屁味，
聞一次五十元。

可惡，他的屁簡直比榴槤還要臭，
讓人想吐，把他拖去打五十大板！

哥哥的臭屁，是一種「瑕疵」商品！

如果你是那些村民，想買哥哥令人心曠神怡的香屁，卻買到臭屁，你會怎麼樣呢？會叫他退錢，還是希望他能賠償呢？

首先，我們先回到購買行為上來討論。無論是哥哥或是弟弟，跟所有買下他們屁味的人們之間，雖然沒有白紙黑字簽約，但是因為有買家口頭說「我要購買香屁」，而賣家回應「好」，並提供販售的東西，這種雙方針對「要買什麼東西」跟「要付多少錢」這件事情都已經談妥，也就是買方決定要買，賣方也決定要賣的時候，此時「買賣契約」就算成立了。

因為買賣契約不是「要式契約」，也就是說，沒有要求要有一定的形式（比如書面合約）才能成立。因此，像是一般去商店買東西，上面都有標示價格的情況下，在顧客結帳時就視為交易成立。

既然契約成立了，買方與賣方對彼此各負有權利跟義務，其中，所以「確保買家買到完好的物件」就是賣方所要承擔的義務；而買方則需付款項或相應的代價。那麼，依據法律規定，在什麼情況下，買家才可以說「物品有瑕疵」，而要求賣家負責呢？

物品「瑕疵」的情形可分為四種：

1. 物品滅失：顧名思義就是物品被毀掉或消失。例如買家購買玩具，結果賣家要賣出之前東西不見了，導致無法販售。

2. 物品的價值減少：指物品因為缺少一些條件，導致物品跟契約約定好的價值有落差。比如本來要賣的是籃球明星柯瑞小時候練習的籃球，但發現其實那只是某個名不見經傳的小球員練習用的籃球。即使物品都是一顆完好無損的籃球，在使用上也沒有什麼差異，但那顆籃球的「價值」卻大有不同，因此可被認定為「瑕疵」。

3. 物品的「通常效用」滅失或減少：這種類型是指買賣物缺少了一般人交易觀念裡應有的功用。例如物品數量短少，導致買賣物欠缺應有的效用時，也屬於「瑕疵」。舉例而言，買賣房屋的坪數原訂是 50 坪，但實際上只有 48 坪，可視為短少，也是「瑕疵」。

4. 物品缺乏預定的效用或品質：指賣家直接透過契約跟買家約定物品會有什麼功效時，如果該物品並沒有那樣的功效，則認定為「瑕疵」。

故事中的哥哥宣稱自己在賣「香屁」，還標榜聞了絕對「神清氣爽、能治百病」，想不到放出來的屁臭氣熏天就算了，讓縣太爺還越聞越氣，完全沒有神清氣爽的感覺。哥哥的「屁味」並沒有達到契約裡所約定的功效，這就屬於「物之瑕疵」，也就是說哥哥賣的商品有瑕疵。

根據我國《民法》的規定，故事中買到臭屁的縣太爺有三種處理方式可選擇！

第一種是主張自己的「契約解除權」。當買賣契約解除後，就等同於一切都要回到沒有簽訂契約的狀態，買家要把東西還給賣家，而賣家同時也要把錢還給買家。不過這個權利行使是有限制的，如果解除契約對賣家而言是明顯不公平的，比如物品的瑕疵無傷大雅、可以修補等，那麼就不能要求要解除契約。像故事裡的情形，縣太爺聞到的「屁」商品無法歸還給哥哥，所以哥哥可以請求要縣太爺返還與「屁」等同價值的金錢或是物品。不過，這時候，應該不會有人做出這個選擇，因為雖然可以要求哥哥把販售香屁的錢還來，但也要歸還「因為無法返還香屁，而必須再另外提供額外同等價值的錢」給哥哥，這樣事實上對買家也不划算。

第二種則是可以主張「價金減少請求權」。也就是，買家可以主張因為物品有瑕疵，所以物品或服務價值低於買家原先所付出的錢，因此可以主張賣家應該要退還一些錢給買家，也就是說，縣太爺可以要求哥哥多少退還一些費用。

最後一種選擇則是主張「損害賠償請求權」。如果縣太爺認為物品瑕疵，造成了身體受傷或是財產損失，就可以選擇這個方式。至於賠償應該怎麼估算，就要視買家自己所受損害的內容來考慮。例如究竟是物品本身所導致的利益損失，還是因為物品瑕疵所造成買家身體受傷或是財產受損，都可以請求！

如果你是縣太爺，你會想選哪一種呢？

當販售商品的廠商在商品或廣告有不符合商品的標示或敘述，或是雖然沒有不符合，但卻含糊其辭而「引人誤會」，進而導致消費者決定要購買這個產品的話，就會構成「廣告不實」。這裡說的「會引人誤會的言詞」是什麼呢？像是以「網路搜尋量第一名」為廣告說詞，由於沒有明確指出是以什麼關鍵字或是在什麼期間內的搜尋得到的結果，這樣的含糊其辭就不會被公平交易委員會所接受。公平交易委員會依據以下的標準，來判斷廠商的廣告是否有構成廣告不實，例如：對消費者或競爭對手的影響度、廣告的排版、廣告跟實際產品的差異程度等。

因此，顧客可以主張故事中的哥哥廣告誇大不實，因為他的屁根本不符合他標榜的香，更不用說能「屁到病除」，跟哥哥買屁的人可以到公平交易委員會檢舉，也可以向哥哥起訴，並要求賠償喔！

Q 廣告中標榜「藥到病除」，是合法的嗎？

A 政府對於醫療相關用品、器材或是藥物都有特別的申請規範，需要經過層層的查驗登記，所以非藥品類的東西，是不能在廣告或是商品標示上出現「具有療效」的字樣，更別說是「藥到病除」這樣的廣告了。就算是醫療用品或是藥物，根據《藥事法》的規定，如果有涉及宣傳醫療療效的藥物廣告，必須要先經過「衛福部食藥署」的核准。

雖然「廣告」屬於一種「言論」。而《憲法》有明文保障言論自由，我們也都希望在發表言論時，可以暢通無阻，因此也不會希望得先將廣告內容交由政府審查，才能開始廣告。想像一下，如果政府可以在審查階段去篩選言論，將可能導致一些政府不喜歡的言論被封鎖，這對整體社會的發展是不利的，更可能造成「寒蟬效應」。因此，基本上政府對於這類事前管制，都會非常嚴格且小心謹慎。除非有非常重大迫切的理由，否則不能亂限制。

此外，因為藥物跟國民健康有相當重大的關係，藥事廣告宣傳的效用也很容易就讓人受到誘惑而去購買，但藥物的副作用通常都來得又急又猛，如果真的發生，可能根本來不及治療，因此針對醫療用品或藥物的事前審查合理且有其必要。所以，哥哥如果要到處宣傳自己的屁能「藥到病除」，不是只有哥哥說了算，還要將「有療效的屁」送去審查，經由國家確認是否為醫療用品或藥物才行。

市面上常見的一些「非藥品」類的營養補充品或是按摩鞋、能量水，在廣告中也常見各種類似療效的標示、宣傳或廣告，像是可以幫助睡眠、改善腰酸背痛、增加免疫力等具療效的廣告內容，這是不行的。依據《藥事法》規範，違規者可能處以新臺幣 60 萬元以上 2500 萬元以下罰鍰呢！

畸零地

故事中的「畸零土地」指的是建築基地面積狹小到未達法規規定可以建築的最小面積，或是地界曲折的土地。除非向政府申請要與旁邊的土地合併利用，否則是幾乎沒有利用價值。

藥物廣告

根據《藥事法》的規定，藥物廣告是指藉由廣告等傳播方式，宣傳涉及或有影射醫療效果的內容，達到讓觀眾想買的目的。我國目前只限藥商可以做藥物廣告，並且採取事前核可制，藥商應該將其文字、圖畫或言詞，向中央或直轄市的衛生主管機關申請核准。

原來，只要不是藥物或醫療器材都不能廣告療效呀！那些地下電臺販售營養食品，宣稱有療效都是犯法的囉？

04 劉備借荊州不還，這對嗎？

三國演義

東漢末年，曹操率大軍南下荊州，追擊劉備。於是孫權向劉備提出結盟建議……

劉備，幸好我們有先結盟聯軍，終於打敗曹操！
黃蓋那招火攻，大破曹軍連環船實在是太厲害了！

赤壁之戰過後，曹操、孫權、劉備三分荊州，各自盤算著勢力，他們都想掌控荊州。

我才是真正的王！

好想要占領整個荊州啊！

荊州一定是我的！

不知道這個「孫劉聯盟」可以維持多久啊……
主公，不如把你的妹妹嫁給劉備，讓孫劉結盟更緊密呢？

孫權提議要我娶他妹妹，這真的好嗎？
結為親家就可以不費一兵一卒借到荊州南郡，這步棋不錯呢！

於是，劉備在與孫權的妹妹婚後，便找了一個時機向孫權商借荊州南郡。

雖然劉備是我的妹婿，但是借他南郡，難道不會養虎為患嗎？

各位覺得我是不是應該把南郡借給劉備呢？
我贊成！我們應該先跟劉備一起對抗曹操才對啊！
我反對！我們費了好大一番力氣才拿下那裡耶！
沒錯！我也堅決反對！

劉先生，我們主公希望您能歸還南郡。
請告訴孫權，再過一陣子，一定奉還。

劉備羽翼漸豐，但一直無意歸還借地給孫權。孫權派任了好幾個官員前往南郡，都被關羽驅逐。

借地不還，豈有此理？
孫
孫

別人借東西不還，該怎麼辦？

有句歇後語是「劉備借荊州，有借無還。」，講的就是在《三國演義》中這段故事。當時由於魏蜀吳三方都想要壯大自己的勢力，奪得荊州這塊寶地，其中，孫權和劉備聯合一起對抗曹操，孫權更因此借出南郡給劉備，但事後劉備卻藉著各種理由，不想歸還借地，導致最後孫權只好派軍隊出戰，把土地給要回來，而劉備陣營也因此失去了關羽這個大將。

不過，如果故事是發生在現代，而且兩人的身分都不是代表國家，而只是一般人的身分借用土地，孫權借出土地前，該做什麼事呢？在面對耍賴故意不歸還的劉備時，他又該如何將土地要回來呢？

我們平常說的「借」，在法律上稱為「使用借貸」，意思是一方表示願意「無償」提供東西給另一方使用，並請借用的人在使用後返還。「使用借貸」與一般的「租借」不同，租借在法律上稱為「租賃」，會給錢作為代價，是「有償」的，但「使用借貸」不會收錢，是無償提供。

通常在借貸行為中，將東西借出的一方稱為「出借人」，借東西的人是「借用人」。使用借貸屬於「要物契約」——也就是說，只要雙方合意，在出借人將說好要出借的東西交付給另一方時，借貸契約就成立了，並不一定要有書面契約。

如果在現代，當孫權好心將物品借出，他與劉備之間的借貸契約成立後，雙方就要依照當初約定的方法使用這個物品，如果沒有經過出借人的同意，也不可以讓第三方使用這個物品。

在使用借貸的過程時，也有一些要留意的，像是在借用期間，借用人對借用的東西是有責任的，如果因故導致借用物毀損，原則上借用人就必須賠償。所以劉備向孫權借土地，就有責任得好好打理這塊土地，不能造成土地損壞！不過如果借用人有依照約定的方法去使用借用物，但物品是在自然情況下損壞，那麼借用人就不用負責。

此外，借用人必須負擔借用物通常的保管責任，若是因為保管借用物而產生費用，也是由借用人負擔。如果借用物是動物，那麼，借用人就必須負擔動物的飼養費等相關費用。

在借用期間，如果借用人在借用物上面安裝、增加其他設備或裝飾，因為是借用人自掏腰包增加的，所以在歸還物品時，可以取回這些額外「加裝」的物件，而且不管是借用什麼東西，歸還給出借人時都必須將借用物「回復原狀」。舉例來說，如果同學跟你借了一枝筆，並突發奇想使用膠帶在筆上黏了可愛的裝飾品，歸還的時候，他可以取回筆上面裝飾品，不過同時也必須把黏膠清除乾淨，還給你一枝乾淨的筆才行。

什麼時候必須歸還借用物？

如果借用人跟出借人在借用物品期間，有約定歸還日期的話，那當然期限屆滿時，借用人就必須歸還借用物了！不過，當雙方「沒有約定」歸還日期的話，那該怎麼辦呢？依據《民法》規定，如果借貸行為沒有約定歸還日期，就應該按照「借用本身的目的」來訂定——如果物品已經使用完，已經達到借用的目的，那麼就應該要歸還了。畢竟出借人只是將東西借出，而非免費贈送啊！

在沒有約定歸還時間的狀況下，萬一發生無法透過「借用目的」推算出應該要歸還借用物的日期時，出借人也不用擔心；當借用人過了非常久都沒有把東西歸還給出借人，久到一般情形下，是可以推定借用人已經用完借用物的話，出借人仍然可以請求歸還；而且因為是「無償」把東西借給對方的，立法者認為，出借人其實是可以「隨時」請求借用人歸還借用物。

所以從劉備向孫權借荊州，而孫權將荊州交給劉備時，兩人之間就成立了「使用借貸」契約，雖然他們並沒有事先明文約定哪一天必須歸還荊州，而孫權也沒辦法從劉備借荊州的目的推算出確切的歸還日期，但在法律上，孫權仍然可以隨時終止契約，並請求劉備返還荊州。要是劉備不歸還土地，孫權便可以向法院主張「不當得利」或是「侵權行為」的規定，要求對方賠錢喔！

如果約定歸還時間還沒到，我可以把借用物拿回來嗎？

假如雙方有約定歸還借用物的日期，照理說借用人可以借用物品到約定的時間，不過畢竟借用的物品是屬於出借人的，在一些狀況下，就算約定的歸還日期還沒到，出借人也可以提前終止「使用借貸契約」，請求借用人歸還借用物，像是借用人死亡，或是借用人疏於注意，導致借用物毀損或有可能毀損；或借用人沒有依照約定的方法使用借用物、未經出借人的同意就把借用物給第三人使用；或者是當出借人發生無法預知的事情，需要使用到借用物，例如媽媽借車給阿姨，但媽媽後來生了大病，必須經常開車往返於住家及醫院，這樣的情形下，媽媽就可以請阿姨提前歸還車子。回到故事來看，在借貸期間，就算約定的時間還沒到，孫權是可以因為自己的需求，將土地要回來。

如果發生是借「錢」不還，該怎麼辦？

「借錢」在法律上稱為「消費借貸」，消費借貸和使用借貸行為一樣，也是屬於「要物契約」，就算沒有簽訂紙本合約，在交付錢的當下，契約便會成立。與一般借用物品的「使用借貸」最大的不同在於，使用借貸中是限於「借的東西」跟「還的東西」是同一個，舉例來說，你向同學借了一枝「閃亮亮酷炫筆」，使用完後，就必須返還「原物」，也就是要歸還「這枝」閃亮亮酷炫筆，並不是隨便一枝筆都可以。相反的，如果是消費借貸，則不要求歸還原物，只要歸還的是同一種類、品質、數量的物品即可，因此向同學借了十元買飲料，之後只要歸還一枚十元硬幣即可，並不是非那枚「同學當初給你的十元硬幣」不可！

另外，消費借貸不一定是無償的，雙方可以約定借用人要在期限內支付利息或是其他報酬給出借人，假如沒有特別約定支付報酬的期限，則於消費借貸契約終止時支付。而且，借用人也應該要在約定的期限內把錢還給出借人，若是當初沒有約定還錢時間，出借人可以通知借用人，約定一個月以上的相當期限，催促借用人還錢，超過這段時間，借用人就會產生必須還錢的法律義務，此時可以透過「調解」或是「訴訟」的程序要求他還錢！

不管是借錢或借東西，該歸還時，就應該還給出借人，畢竟「有借有還，再借不難！」

Q 好心讓妹妹借住，房間卻要不回來，該怎麼辦？

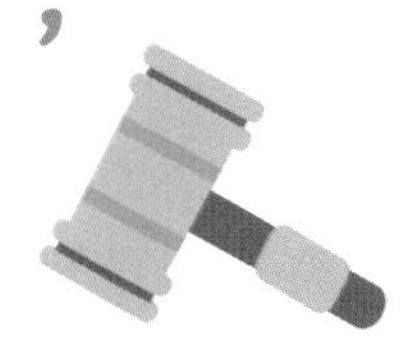

A 如果存在「使用借貸」行為，是可以依據法律的規定，要求妹妹搬家喔！

親戚朋友間，常常因為彼此的情誼而有借貸的行為發生，一旦發生糾紛時常常也會因為顧忌情誼而發生兩難的情形。曾經有一個案例，哥哥婚後與雙親同住，而妹妹離婚後居無定所，因此父親便建議哥哥讓妹妹也住進他的家中，與母親共同使用一個房間，以享天倫之樂，而且妹妹也能分擔照顧母親的責任。

不料妹妹搬進哥哥家中後，卻將哥哥家中的其中一間房間占為己有，甚至禁止他人進入，兄妹倆為此爭吵不斷、反目成仇，在母親去世之後，妹妹依舊賴在哥哥的家不走，而哥哥無計可施的狀況下，將妹妹告上法院，要求她搬家。

判決時，法官認為沒有足夠證據可以證明「哥哥針對房間使用有想要和妹妹締結『使用借貸契約』」的意思，兩人之間只存在著不具備契約拘束力的「好意施惠」關係，所以妹妹沒有理由可以霸占房間。

此外，即使雙方之間真的成立「使用借貸契約」，由於雙方在締結合約時，並沒有預料到會和妹妹相處不睦，加上哥哥已經有收回房間自己使用的打算，因此哥哥也可以依照法律的規定終止契約，再要求妹妹搬離。

使用借貸契約

指一方將物品交給對方，約定對方在無償使用後應返還原物的契約。消費借貸契約則是指一方移轉金錢或其他代替物的所有權給他方，約定對方應返還相同種類、品質、數量物品的契約，並不要求對方返還原物。

不當得利

沒有法律上原因而取得他人財物，致使他人的權利受損害，就有可能成立「不當得利」。例如原本A和B買東西，A已經付錢了，但因為一些原因B決定不賣了，這時B在律上沒有拿A的錢的理由，繼續保有那些錢，就有可能會成立不當得利，A可以主張要求賠償喔！

05 一坐就壞的木椅，誰該負責呢？

小木匠阿多朵

在某一個山裡部落中，有個木匠叫阿多朵，無論是蓋房子、做家具都難不倒他，大家都讚賞他的手藝超群。

不過，阿多朵的老婆卻每天跟阿多朵吵架。

你到底什麼時候才要做
我們家的椅子！

等我完成完外面的訂單，
我就立刻做好嗎？

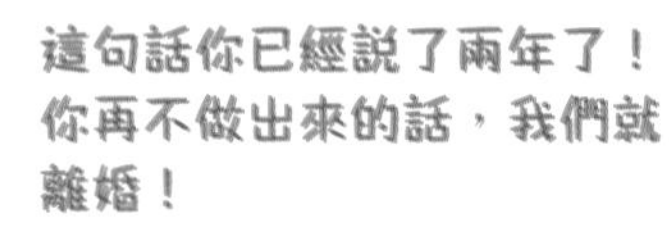

這句話你已經說了兩年了！
你再不做出來的話，我們就
離婚！

阿多朵害怕失去太太，於是趕緊做出兩把椅子。沒想到……

這椅子一坐就壞！我要把它們都燒了！

唉，我的椅子只能當成肥料……

而阿多朵的老婆太生氣了，她在吃東西，一不小心卻噎死了。

大家勸說了很久，阿多朵才願意再次結婚。

好不容易娶了第二個妻子，我一定要好好對待她，不能讓悲劇重演。

從此，阿多朵心思都在妻子身上，工作品質卻一落千丈！

阿多朵，你的桌腳怎麼一邊長一邊短？
你做的床會發出怪聲！
現在的你連普通的木匠都不如！

這些抱怨當然也都被阿多朵的新任妻子聽到了，她該怎麼做才好呢？

契約說好的東西，只要有給就可以？

村莊裡的人向阿多朵購買家具，雙方間的家具就成立「買賣契約」了。阿多朵負責製作、出貨，而顧客付錢，這是雙方的義務，如果彼此都交付了該提供的東西，那麼這個買賣契約就算是有被好好的「履行約定」，結果當然皆大歡喜。

不過，在買賣行為中，只是「將約定好的東西交付給客人」這麼簡單嗎？有時候買賣並不是這麼順利，就像阿多朵因為自己私人事情影響工作，並將品質不夠好的成品交給顧客，以致於招來抱怨，也漸漸的打壞了自己的名聲，終將賠上事業。

在法律上，為了保障市場交易以及消費者權益，對於賣方是否有正常交貨、相關責任歸屬都有明確的規定。對買家而言，他是賣家所出售物品的「債權人」，可以要求賣方提供商品或服務，但買家也同時是這個買賣契約的「債務人」，要支付貨款給賣家。賣家則是金錢給付的債權人，可以要求買家付錢，同時也是所出售物品的債務人，要負責將販售的東西給買家。所以買賣契約和租賃契約、消費借貸契約等都一樣，都是債權債務關係，也都有「債務不履行」規定。

最常見的債務不履行有兩種情況：一種是「**賣方有問題，貨品沒交到買方手中**」；另一種是「**貨品有問題，到了買方手中卻沒辦法用**」。

第一種沒有交貨的情況又可以分為「完全沒辦法出貨」或只是「約定好的日期到不了貨」。如果是賣方完全沒辦法出貨，在法律上稱為「給付不能」，假設雙方在成立契約時，無論是誰都沒辦法提供這項貨物，例如法律禁止交易的物品，或是已經被燒毀的房子，那麼買家跟賣方間的契約就會被視為無效。

不過要是「契約成立後才發生沒辦法提供貨物的情況」，在法律上就會根據「無法供貨」是否可以怪罪於賣方，因而有不同的責任歸屬與賠償。也就是說，如果不能出貨並不是賣方的錯，那麼買方就只能主張解除契約；但如果無法供貨的責任在於賣方，買方則可以多要求要「損害賠償」。

要是賣方在約定好的日期無法交貨，這種約好交貨日期沒有交貨的情形在法律上稱為「給付遲延」。不過要特別留意的是，要是賣家因為生意太好，只能給予買家一個大概可能的交貨時間（例如五月底前），但時間到了，仍沒有給付的話，那麼買家得先「催告」賣方，告訴他「時間到了該出貨了」，請賣方出貨，這樣賣家才會負有遲延責任，依據相關規定判斷責任歸屬。

如果遇到像阿多朵這樣，有正常交貨給顧客，只是貨物好像品質不佳，所以顧客覺得不開心，甚至覺得自己的權益受損。對於這種可補救的貨物，

就應該由賣方，也就是阿多朵負起責任——在新的約定期限內修好東西再次出貨；而對於不能補救的貨物，在這種明顯是阿多朵的錯時，買方們也可以要求要解除契約，並可以根據《民法》第 226 條，要求阿多朵賠償。不過，現在更多是以主張《消費者保護法》（下面簡稱《消保法》）來求償。

阿多朵作為一個經營家具賣場的老闆，會是《消保法》中所謂的「企業經營者」。對顧客老王、小李、小林而言，除了《民法》的規定外，也可以用《消保法》向阿多朵請求損害賠償，因為《消保法》對於消費者的保護更為周全，包括「針對『定型化契約』如果顯失公平，契約將會無效」的規定，或者像是消保法中有關於「商品責任」的規定，原本應該是產品製造者才需要對產品本身負責，但常常這些製造者並不在臺灣，消費者根本很難求償，因此《消保法》不但規範經銷商也有連帶責任，對於輸入或進口商品或服務之企業經營者，也直接將他們視為產品製造者。

在現代，買家其實更常會透過虛擬的網路購物，所以在下單付款前根本不會看到貨物本身，也因此《消保法》第 19 條規定要給消費者「七天的鑑賞期」，在這七天內，消費者不需要附任何理由及額外的錢就可以申請退貨，這是因為消費者在下單時只能參考網站所提供的資訊，沒辦法實際體驗商品，所以很容易發生跟預期不符的情況，另外因此需要支付的運費，原則

上也是由賣家吸收。

如果有些賣家標榜「鑑賞期非試用期」、「拆封恕不接受退貨」，類似的字眼真的會讓消費者就此不能退貨嗎？鑑賞期確實不是試用期，兩者是平行的概念，原則上只要在七天鑑賞期內可以退貨，只是要保持包裝的完整性或是可以回復的狀態，根據《消費者保護法施行細則》的規定，如果有必要是可以拆開貨物檢查，或是測試使用的。畢竟如果沒有拆開或是試用，要怎麼「鑑賞」呢？但如果逾越了「鑑賞」的範疇而造成商品價值的減損，就有可能會需要負擔額外的費用。現實世界中，就有人透過網路賣場購買投影機，雖然在七日內退貨，但被發現實際使用時間高達六小時，導致投影機內的燈泡壽命減損，而必須承擔「整新費」。

不過，要留意的是，並非所有的網路購物都適用七日鑑賞期喔！像是容易腐敗的商品（比如乳製品、水果）、客製化商品、已拆封的影音商品或電腦軟體、報章雜誌、個人衛生用品（比如內衣、內褲）等商品，考量到有時效性或衛生的問題，或無法再轉賣給其他顧客，只要業者有事先告知顧客不適用七日鑑賞期的規定，就真的可以不適用喔！

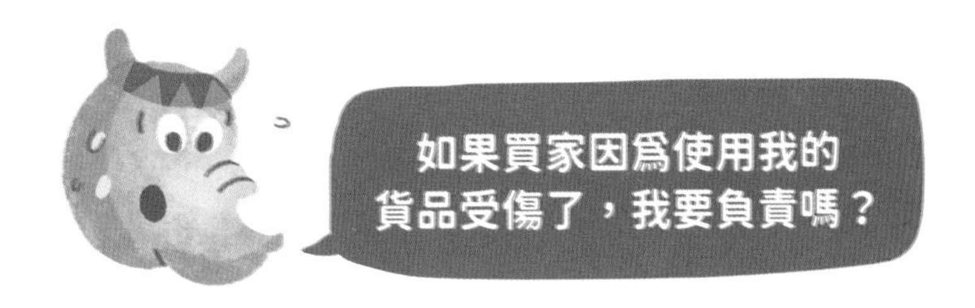
如果買家因爲使用我的
貨品受傷了，我要負責嗎？

第二種「貨品有問題，到了買方手中卻沒辦法用」的「債務不履行」情況，由於貨物已經移轉到買方那邊，這時候如果因為貨物的瑕疵，造成買方

受傷，或是因此造成損失，那麼賣方必須負責賠償。

像是阿多朵的顧客，如果因為阿多朵製作的桌子桌腳長短不均，導致放在桌上的餐盤滑下碎裂，而有財務損失；或是因為坐到劣質的椅子扎到屁股，導致受傷等，顧客都可以跟阿多朵請求賠償。

當然所出貨的商品壞掉，如果是無法怪罪阿多朵的情況，那他就不用負責。比如阿多朵做的椅子沒有問題，但是因為使用者使用不當，例如椅子不好好坐，以「前後仰姿勢」方式，只剩兩根椅腳著地使用椅子，因而導致椅腳斷裂，或是床會發出怪聲，是因為使用者多次在上面跳來跳去導致的等等諸如此類的狀況，當這些狀況發生時，阿多朵就不需要賠償。

要是因為產品而導致買家的身體、健康等權利受損的情況，買家應該要在知道自己受有損害、並且知道該負責的人是誰時兩年內請求賠償，如果買家一直不知道自己有損害或該負責的人是誰，只要經過 10 年就不能再請求損害賠償了。如此一來，阿多朵不好好工作，可能不只要面臨失業的窘境，還可能要另外賠償好大一筆錢。

Q 除了《消保法》，還有其他法規可以保障消費者權益嗎？

A 當然有喔！

近年來，網路銷售平臺如雨後春筍般湧現，尤其是疫情緣故，許多民眾更加依賴的外送平臺更是急速竄升。我國目前除了專門在保護消費者的《消費者保護法》，更有主要在規範業者間競爭行為的《公平交易法》，該法透過禁止業者去用不好的交易手段來擾亂交易秩序，也可以間接的保護消費者利益，不管是實體銷售商場或是網路商場都適用。

像是外送平臺 Foodpanda 就曾被公平交易委員會認定使用不正當的交易手段，限制合作餐廳的事業而被裁罰。當時 Foodpanda 被裁罰的原因有兩個：第一是它限制餐廳必須要以「店內售價」在平臺上架，第二則是因為它強制店家必須允許顧客可以「店內自取」。

前者是因為商家就無法將多出的成本「外送平臺的佣金」反映在定價上，所以導致商家必須自行吸收成本，收益也就減少了，此外，這也讓 Foodpanda 上的同樣商品成為最低、最有優勢的商品，Foodpanda 也因此成為最優勢的外送

平臺，因為即使其他外送平臺給予商家較低的抽成，商家也很有可能為了平衡在 Foodpanda 平臺上的損失，因而不願降價。

這個事件看似只影響到商家，但其實卻讓其他平臺的消費者，被迫接受損失優惠的權利。此外，開放消費者可以使用平臺訂餐，再到店內取餐，看似讓消費者更便利，省去等待時間，並賺取優惠。不過，有很大一部分選擇店內自取的客戶原本就是商家的顧客，但是透過平臺訂購，商家一樣得額外提供佣金給 Foodpanda，加上折扣，這讓商家決定自家銷售方式多了很多限制。

公平交易委員會認為，Foodpanda 的行為，除了滿足自己平臺的用戶外，只讓整個產業競爭變得不公平，讓其他銷售平臺業者受害、餐廳業者受害、其他銷售平臺的消費者也受害，所以才會開罰 Foodpanda 的這兩個行為。可見公平交易委員會和《公平交易法》的存在，正是政府對於相對弱勢的消費者保護把關的方式之一。

給付不完全

給付不完全是指，並不是完全不能給付，也不是在約定好的時間尚未給付的狀況，而是在約定好的時間內把東西交付給對方，但東西有瑕疵的狀況。

公平交易

《公平交易法》主要是在管制廠商之間透過不好的交易手段擾亂交易秩序，進而導致損害消費者的利益，主要禁止的行為包括「禁止濫用已經取得的獨占地位」、「事業之間透過購併的方式對整體經濟利益產生危害」、「有競爭關係的事業之間透過共同決定商品價格而可能對整體經濟利益產生危害」，另外像是以不正當方式奪取交易的機會、不實標示廣告等等也是《公平交易法》禁止的範疇。

契約自由

原則上，人民可以自由選擇「與誰締約」以及「締約內容」，這是私法自治的基礎，法官也在釋字第576號解釋中明文承認是憲法所保障的基本權。然而，這樣的權利並不是不能限制，在遇到公共利益時，有可能需要退讓，《消保法》就是用以調整資本市場結構中弱勢消費者的地位，而去限制出賣人可以訂定的契約條款。

06 契約、法律，該遵守哪一邊？

威尼斯商人

英國莎士比亞知名作品之一《威尼斯商人》，故事描述著安東尼奧因為要幫助好友，而向高利貸借錢。

安東尼奧，萬一到時還不出來，利息可是很高的喔！
你放心，如果還不出來，我會割下自己身上一磅的肉來還。

只要等我的貨船一到，東西賣出去，要還借的錢還綽綽有餘！

於是安東尼奧簽下了夏洛克提供的契約。
CONTRACT
SIGN:

安東尼奧，不好了！
我們的船隊遇到暴風雨，貨物全都沉到海底了。
喔不！這下糟了。

夏洛克一直不喜歡安東尼奧，
想趁機欺負他。
還不出錢來，
就割你的肉
來還！

安東尼奧不知道怎麼辦，只好找律師幫忙。
法庭上，律師說……
CONTRACT
你可以依據契約取下我當事人的肉，但不能讓
他流血，因為契約沒有寫到要有血。

幸好有律師協助，讓安東尼奧免去皮肉之苦，
也鬆了一口氣。
可惡！被你逃過一劫！

原來故事裡面的正義不是真的？

你知道嗎？如果回到現代，故事中的安東尼奧可能沒這麼幸運，可以直接逃過一劫喔！若在臺灣，安東尼與提供高利貸的夏洛克交易會成立「借貸契約」。

在日常生活中，充滿各種不同的「契約」！例如我賣一臺手機給你，依據買賣原則，我要給你手機，而你給我錢，這種就是很標準的「買賣契約」，最後手機的所有權就會歸你；租房子時會有「租賃契約」，房東租房子給房客，房客要給房東租金，而房客可以使用房子，不過，租賃契約跟買賣契約不一樣的地方在於，買賣契約會移轉所有權，但是租賃契約房子所有權還是在房東身上，房子不會歸房客所有的。

就安東尼奧的案例來說，就是我們常說的「借錢」，在法律上稱作「借貸契約」，更精確一點叫做「消費借貸」──A 借錢給 B，在雙方約定的時間前 B 需要歸還。

按照契約的精神，雙方確實都要按照契約所規定的內容履行，例如購買一個價值 100 元的東西，當顧客屢行了支付 100 元的責任，那麼賣方也必須交付所買的東西。萬一發生無法履行契約或違反契約時，就得考慮能否接受違反契約後的代價了。例如，常見的借貸契約中，會有需要給付利息並提供抵押品的規範，當還不出錢來時，可能就需要將抵押品交給借錢給你的人，作為償還，而這樣的行為並不會有人認為是「犯罪行為」，而是上述無法還錢的一種代價。

看到這裡，你是不是會好奇：難道故事裡面的正義不是真的嗎？因為安東尼奧的確在借錢時，已經說好了，要是還不出錢來時，就會割下自己身上一磅的肉來還。

先別緊張！依據我國法律規範，想要成立借貸契約的話，必須在雙方行為都是合法的狀態才可以成立。如果不合法的話，契約是不會成立的！根據《民法》第 72 條規定：「法律行為，有背於公共秩序或善良風俗者，無效。」也就是說，契約是不可以違反公共秩序或是善良風俗的。所以如果安東尼奧在現今社會，他其實不太需要找一位律師，也不需要用這種「割肉但不能留血」的方式來進行抗辯，只要直接主張這張契約裡面中「要割肉的代價」條款，違反《民法》第 72 條的善良風俗，就能免去皮肉之痛啦！

如同前面所說的，《民法》中規定，契約不論是本身，或是執行的手段，都必須要是合法的！如果契約本身的設定是違法的，基本上這個契約就會是無效的。例如我付你錢，叫你去殺人，這樣的契約是不成立的！因為殺人這個行為本身就違反《刑法》。之所以會這樣規定，當然就是希望所有的人民，在成立契約時都可以遵守法律的規定，如此一來，整個社會在進行交易時，才會處於合法的狀態！

由於安東尼奧與夏洛克的借貸契約顯然違反善良風俗情況下，因而這份借貸契約是有可能被視為不合法而無效。契約無效，就表示雙方沒有任何關係，沒有關係就無法做任何事情。例如Ａ因Ｂ委託殺人，原本答應殺人後，要給Ａ一千萬，但因為這個契約本身就是無效的，所以對方後來不給Ａ一千萬的話，也無法告Ｂ喔！

當然，大家可能會好奇，那契約無效後會怎麼樣？難道安東尼奧就可以不用還錢，一筆勾銷嗎？當然不是！借錢當然還是得還錢的。不過，該怎麼處理又是另外一件事情了，我們先不討論。

雖然我們都知道，通常簽訂契約，就是代表雙方都可以接受契約內容的狀態，所以雙方都要遵守契約的規定。因此簽訂契約時，理論上應該是要在兩個人平等的狀態下簽訂，如果一方過於強勢，就有可能會造成契約本身條件的不平等的問題產生。例如公司中老闆跟員工的關係，就存在這種不對等的權利關係，員工可能礙於不想失去工作或是其他因素，即使條件並不對等，或是在僱用契約上有各種光怪陸離的規定，也只能硬著頭皮簽下去。

但別擔心，立法者就是擔心這樣的問題發生，擔心如果有人只能因為早些緣故，被迫默默吞下不公平的契約條款，像是以前就曾有些公司規範員工一旦懷孕就必須離職；或是因員工生病或是染疫隔離影響工作為由，將員工「炒魷魚」等，這都有違背法律規範，需依據相關法規處理。

針對性別不平等的情形，更直接立法《性別工作平等法》，禁止聘僱契約中約定是否懷孕等與性別有關的內容，保障所有人在工作上的權益。更有法院判決認為，因為這樣的規定很明顯是違反男女平等的，對於生育以及婚姻家庭的憲法價值，也是一種破壞，所以「規定懷孕員工不得就職」的情形不可以存在，而且依照《民法》第 72 條規定，相關契約內容無效，公司不能以該契約內原因解僱之。

訂定契約是你情我願，
我有什麼錯？

一般的交易行為都是一種價值的交換，可能是物品的交換，也可能是金錢的交換，但是沒有人會拿自己的肉來換，因為這不是正常交易的狀態，所以契約是不成立的。其實立法者也會擔心民眾自訂太可怕的契約內容，想像一下，要是賣身契約可以成立，這會對於社會上弱勢者不利，因為當人一無所有時，就有可能會用自己的器官作為契約的賭注，可能就會讓契約失去原本的價值，甚至被犯罪集團利用，強迫弱勢者訂約。

如果不對等的契約越來越多，一方面可能會造成大企業對於社會的控制，產生越來越多不公平的契約，對於原始契約的精神想像，可能會越來越遠。另一方面，越來越多不公平契約，就越有能會造成契約的執行上容易出問題，那麼整個社會彼此之間信任連結也可能會因此斷裂，對於社會分工也可能會有極大的不利。

因此，無論是買賣、租賃、聘僱等行為發生時，白紙黑字寫下的東西固然重要，雙方都要遵守，但並非寫下來的規範就是無敵的，法律還是會視情況來調整的！最重要的是，在約定各種契約時，更要瞪大眼睛，看看條文內容是否合法，才能簽署喔！

Q 消費者保護法，到底在保護什麼？

A 前面的故事告訴我們，如果契約經常且容易出現對於某方不利的漏洞，法律就會介入，所以我們有一部《消費者保護法》，就是要來保護消費者的權益！

首先我們要先理解什麼樣的情況底下我們會用到這部法律。一般的顧客與「企業經營者」有買賣的關係時，基本上就會用到這部法律！

像是顧客常常在商店或是網路購物時，得留下資料，加入會員，享有各種優惠。不過，加入會員同時，商店通常會提供一份契約（一般稱作「定型化契約」），來讓顧客簽訂，依據商家規定，若是消費者不簽訂，就無法加入會員，也就無法享有會員優惠。然而，因為那份契約的字數實在太多，通常很少有人會認真閱讀才簽下同意，萬一契約裡面對於顧客不利的話怎麼辦？這時候法律就有必要介入，保護人民！

例如在《消費者保護法》中就提到，如果是網路交易的買賣，因為顧客沒有實際接觸到物品，只是在網路上看圖片或是文字說明就買了，所以法律規定「原則上（因為還是有例外）」，在購買之後 7 天內，可以無條件退貨，這是一般現場消費的客戶沒有的規定！

此外，可能大企業都會將契約寫得很複雜，所以導致人民也都看不懂，因此《消費者保護法》也規定，如果雙方對於契約內容有疑義，應該要在解釋上進行對於消費者有利的解釋！

買賣契約

買賣是指當事人之間約定一方移轉財產的所有權給另一方，另一方則支付金錢。只要雙方對於買賣的物品與價額達到共識，買賣契約就會成立，不一定要白紙黑字寫下來。例如將飲料拿至超商櫃臺結帳，就會成立買賣契約囉！

定型化契約

通常是指有一方事先把契約都寫好，而另外一方只能接受，通常是沒有商量的餘地，因為這份契約經常不是一對一，而是一對多的狀況。例如去申請信用卡、上網購物等，這些東西申請之前所簽訂的契約就是「定型化契約」。

07 好鼻師沒有神奇鼻子，違法嗎？

好鼻師的故事

從前，有個好吃懶做的人，哪裡有食物，他就出現在哪裡！
有天，他喝醉酒，在回家途中，看見了一隻豬。

奇怪，糞坑裡怎麼有隻豬？
那不是隔壁陳太太的豬嗎？

聽說隔壁陳太太的豬不見了，
我可以找到牠！

你真的可以找到那隻豬嗎？

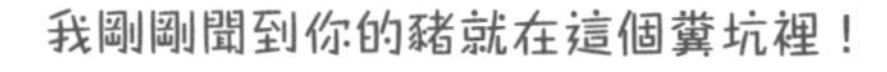

我剛剛聞到你的豬就在這個糞坑裡！

哇！你的鼻子太厲害了！

你聽說了嗎？好鼻師上次幫陳老爺找到不見的寶劍耶！
聽說小戒指、走失的貓狗通通都難不倒他！

連皇帝珍貴的玉璽不見了，也找他進皇宮幫忙找。

萬一被皇帝發現我是假的，該怎麼辦？

如果好鼻師發現是我們偷玉璽該怎麼辦？

放心吧！我藏在後院的古井裡面，他一定找不到的！

好鼻師運氣好，聽到轎夫的對話，知道了玉璽的下落。

玉璽就在這裡！

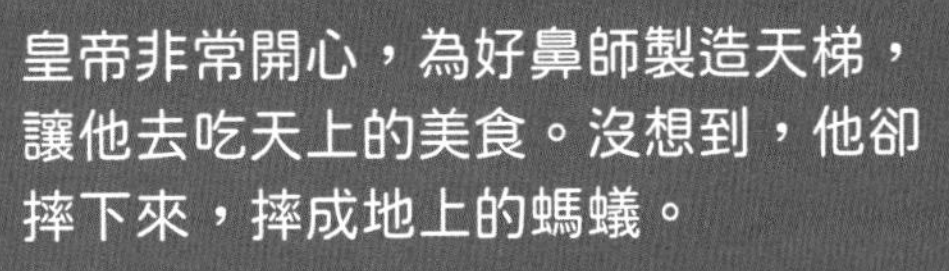

皇帝非常開心，為好鼻師製造天梯，讓他去吃天上的美食。沒想到，他卻摔下來，摔成地上的螞蟻。

聲稱有好鼻子騙人，這樣 OK 嗎？

看完好鼻師的故事，你認同好鼻師的行為嗎？當他對外聲稱自己的鼻子可以聞出各種味道，並能成功找到遺失物，把自己塑造成一個「具有神奇能力」的人，在法律上可能會衍生出一些問題喔！

《民法》中規範，如果你和其他人進行了某項交易，而一般會認為在這項交易中，「當事人的資格」或者是「物品的性質」是重要的，但當買賣雙方對於這兩件事情有所誤解或不知情時，就表示雙方可能存在著錯誤因素而進行交易，法律上認為，因為是在誤認或不知情的情況下做出與交易相關的決定，所以原則上可以撤銷！

如果我發現好鼻師在騙人，就可以告他嗎？

所謂「當事人資格」，像是身分、學歷、專長、職業或其他能力都算，立法者規定在聘僱的過程中，如果受到僱用的人有明白表示、暗示的保證他擁有某種特殊的技能，但後來發現他其實沒有這個能力的時候，僱用他的人就可以終止這個僱傭契約。舉例來說，聘僱英文祕書時，普遍會認為「是否具備一定程度的英文能力」是關鍵因素，這將影響公司決定是否與對方訂下契約，聘請這個人成為員工，因此這件事情對僱傭契約而言，就是「重要的當事人資格」。假如對方出示假的英文檢定證書，導致公司誤以為對方英文能力極佳，而聘用他擔任祕書，後來卻發現其實他連英文字母都認不得，就可以去撤銷當初聘用他的決定喔！

因此，到處宣揚自己擁有「搜尋失物的能力」的好鼻師，就是對「當事人資格」進行造假。假如好鼻師因為造假而受到他人的重用、找到工作，而與他人訂定了僱傭契約，但後來被發現一切都是騙局，好鼻師根本沒有這種能力，無法達到老闆的預期，此時老闆就可以拒絕繼續僱用他，並依照法律終止他們之間的僱傭契約。

還有什麼因素可以讓
顧客撤銷先前決定？

除了當事人資格造假外，如果交易的「物品性質」有問題，也可能作為撤銷交易決定的因素。

所謂「物品的性質」則包括材質、體積、功能等。假如顧客想要添購一張沙發，但因住在40樓，還特別向家具店店員確認沙發是否能夠放得進電梯，當時店員表示沙發尺寸不大，若讓沙發直立進入，220公分高的電梯可以容納得下，所以顧客決定購買並支付訂金，不料幾天後運送時發現沙發無法進入電梯。由於他們事先向店員再三確認沙發的體積，因此可以認定「沙發的體積」在這個買賣契約中是「重要的物品性質」，既然對於這件事情有所誤認，顧客就可以去撤銷當初買下沙發的決定。

要特別注意的是，如果對於「當事人的資格」或者是「物品的性質」有所誤認或不知情是出於自己的過失，也就是自己搞錯或理解錯誤，那就不能撤銷了。此外，也必須在做出決定之後的一年內行使撤銷權，否則一年的時間過了之後就不能撤銷了喔！

不過，這種對「當事人資格」與「物品的性質」造假的行為，除了《民法》上的糾紛處理外，還有可能會觸犯《刑法》的詐欺罪！《刑法》上的「詐欺」是指一方故意向交易的另一方使用詐術，像是提供不實的資訊，使對方誤信而移轉物品的所有權。舉例來說，如果補習班老師向家長表示只要購買他們製作的特殊教材，小孩必能考試滿分，導致家長花了大錢，但卻只得到一套普通的教材而不是特殊教材，這樣補習班就可能因此涉及詐欺了。不過詐欺罪並不限於對「當事人資格」與「物品的性質」造假的情形，也曾發生補習班以續報課程價格較優惠為由，使家長預先支付了幾個月的學費，最後卻人去樓空、未實際提供課程，這也算是《刑法》上的詐欺！

我真的有尋獲失物，
可以向失主要求酬勞嗎？

根據《民法》規定，失主認領遺失的物品時，拾得人可以向失主請求酬勞，只是金額不能超過該物品價值的十分之一，因此，假設從豬圈裡跑出來

的豬價值 1000 元，那麼好鼻師最多可以向婦人請求 100 元的報酬。若遺失的物品不具財產上價值，像是年代久遠的相片，拾得人還是可以向失主請求相當的酬勞喔。

這樣的制度是為了鼓勵大家將撿到的遺失物送交派出所、學校或其他可以聯絡上失主的機關，此外，法律也規定，假如拾得人在撿到遺失物後七日內未通知、報告或有隱匿此事的情形時，拾得人就例外不能要求酬勞。假如甚至有將遺失物占為己有的行為，除了拿不到酬勞以外，還會觸犯《刑法》上的侵占遺失物罪，可以處 15,000 元以下罰金。

如果有人發現我知道好鼻師是騙人的，這樣我有罪嗎？

前面有提到，好鼻師打著「神奇鼻子」的名號招搖撞騙，若以此從他人手上獲得金錢或其他物品，就可能會產生詐欺罪的問題。要是好鼻師的太太知道實情，卻仍放任丈夫到處騙人，雖然乍看之下很可惡，但她並不會因此觸犯詐欺罪，因為好鼻師的太太並不是犯罪者本人，法律也不認為她有積極阻止好鼻師的義務。

不過，若是好鼻師的太太也參與了好鼻師的犯罪行為時，比如說好鼻師的太太教唆好鼻師，或是協助他自導自演，假裝遺失物品而靠著好鼻師的特殊能力尋得失物，再以此為噱頭與他人締結契約、收取報酬等，她也會被認定有罪。

Q 什麼是廣告不實？

A 廣告不實是指業者在商品或者是廣告上進行「虛偽不實」或「引人錯誤」的表示，而且這個資訊與商品相關，足以影響消費者的「購買意願」。

要特別注意的是，就算廣告與事實相符，但只要會誘導人陷入錯誤的聯想，就有可能被認為是廣告不實。例如在廣告上用顯眼的字體大小聲稱「零食一律 10 元起」，但卻在角落使用非常小的文字寫道：「以美元計算」，這樣就有可能讓消費者誤認零食的價格，而被認為是廣告不實。

如果顧客因為廣告不實而受害，又該怎麼辦呢？

假如業者使用不符合真實的廣告吸引消費者購買商品，例如網路上聲稱是名牌包包，但實際上卻是仿冒的，買家便可以主張自己是因為被詐欺所以才做了購買的決定，並在一年內撤銷這個買賣決定，要求業者歸還金錢。

《消保法》為了保護消費者的權益，進一步規定企業的經營者應該要確保廣告內容的真實性，提供給消費者的商品或者服務，品質不可以低於廣告的內容，假如違反的話，消費者不只可以要求經營者賠償，最多還可能拿到五倍的懲罰性賠償金，這也是為了警惕經營者們要注意商品及服務的品質，同時也要把關廣告的內容，不可以過於誇大！

下次如果看到形容誇張的廣告，建議睜大眼睛看看是否有什麼奇怪的地方或是多留意內容，以免上當受騙喔！

遺失物

指非因所有權人所願，卻失去占有狀態的動產，當下未被任何人「占有」且「未成為無主物」的物品。雖然物品的主人忘記將物品放在何處，因而遺失了該物品，但該物品的所有權仍然是屬於失主的。

懲罰性賠償金

基於懲罰加害人惡性所生的賠償制度，因此並不是以被害人實際所受到損害的來制定賠償的數額。

原來好鼻師謊稱自己有個厲害的鼻子，如果被發現，除了被撤銷交易外，還可能觸犯《刑法》詐欺罪啊！

08 她把我的神燈給別人，怎麼辦？

阿拉丁神燈

從前有個叫阿拉丁的孤兒，一直以來都是獨自生活。
有一天，有個聲稱是他叔叔的魔法師來找他……
好姪子，我知道有個地方有神奇的油燈，我們一起去尋寶吧。

阿拉丁順利了拿出魔法師交代的寶藏，沒想到，魔法師竟然要他先交出神燈和寶藏，而不是先幫助他離開洞穴。

阿拉丁，那個油燈，
記得要拿出來喔！
叔叔，先拉我上去！

不先給我神燈，你就在裡頭餓死吧！

為什麼叔叔不先拉我出去？還把我關在這裡！這個髒兮兮的油燈到底有什麼特別的？

叩可！

啊！主人，您好，我是神燈精靈，
請問您有什麼吩咐呢？我可以實現
您所有的願望！
你可以幫助我離開這裡嗎？

阿拉丁順利回到家後，並不常召喚神燈精靈，直到他遇見了與他一見鍾情的公主……但是國王卻要求他得完成三個任務才能與公主結婚。

1
2
3

阿拉丁在神燈精靈的幫助下，順利完成任務，還變出了一個美麗的宮殿，與公主一起住在裡頭。

壞心的魔法師卻設下圈套，想騙走神燈！

來喔！舊油燈換成新油燈喔！
換成新油燈，阿拉丁
一定會很開心。

唉呀！公主怎麼可以把我的
神燈拿去賣給別人呢？

可以拿走發現的寶藏嗎？

你是否也有疑問：洞穴裡的寶藏，到底是屬於誰的？是阿拉丁的？還是魔法師的？雖然阿拉丁和魔法師知道洞穴中有寶物，因此前往探險，並把東西據為己有，但在現實生活中可不能這樣喔！首先，他們得先確認洞穴中的寶物是否屬於某個人，還是屬於「無主物」。「無主物」的意思是，假設某個物品被人丟棄，即使那些東西「曾經」是屬於某個人，但因為物品已經被拋棄了，而且「現在」不屬於任何人擁有，在法律上我們稱為「無主物」——也就是沒有主人的東西。而《民法》規定，先拿走這個「無主物」的人，原則上就會取得這個東西的所有權！

所以假如洞穴裡的金銀珠寶是「無主物」，那麼阿拉丁就會因為先取走且占有，而可以取得金銀珠寶的所有權；相反的，假如寶藏不是無主物的話，就算是搶先別人一步占有，東西也仍屬於原主人的。舉例來說，鄰居搬家時暫時將沙發放置在樓梯間，即使我們誤以為是被丟棄的而撿回家裡使用，也不會從此變成沙發的新主人。所以重點在於東西「是否被拋棄了、不要了」，如果原主人沒有要拋棄的意思，那就不是「無主物」，要是輕易將別人的遺失物帶回家、占為己有，可能會因此觸犯《刑法》的侵占遺失物罪，因此如果在路上撿到錢包、手機等，應該先送至警察局，以免受罰！警察局會依照物品的價值有不同處理方式，若是價值 500 元以下的物品，最多保管一個月，價值 500 元以上的物品則會公告六個月，假如失主在這段期間內沒有領回，該物品的所有權則會由拾得的民眾取得。

我不想要用舊油燈換新油燈了，可以反悔嗎？

那麼，公主將屬於阿拉丁的東西拿去和別人交換，又是另一個問題。首先，我們要釐清一下法律上是怎麼看待這個交換油燈的行為。公主和魔法師約定，其中一方把舊油燈給另一方，另一方則用新油燈作為交換，這種相互約定移轉「金錢以外」的財產權、「以物易物」的行為在法律上稱為「互易」。

這種「以物易物」和「一手交錢，一手交貨」的概念十分相像，兩者同樣是約定各自給付某樣東西給對方，差別只在於「以物易物」情形下，雙方都交付物品；「一手交錢，一手交貨」則是一人交付物品、另一人交付金錢，正因核心概念非常相似，所以立法者規定「互易」也適用於「買賣」的規範。所以，公主和魔法師的「互易」行為，究竟賣家或買家可不可以反悔，就得參考「買賣」的規定囉！

一旦雙方約定好以物易物，「互易的契約」便會成立，此時雙方便不能隨意反悔，如果在交換完之後才想要解約，取回原本的物品，必須有特定的理由，例如對方交出的物品有瑕疵、當初是被騙才而作出訂定契約的決定，或是油燈壞掉等，就能以此為由解約。但如果是出於自己的錯誤，像是「搞

錯要買的東西為何」、「買了之後才發現用不到」等，並不是解約的正當理由，因此，公主無法主張「不知道舊油燈其實是神燈」而向魔法師解除互易契約。

雖然我國法律為了保護消費者，有針對「通訊交易」與「訪問交易」這兩種交易情境給予消費者七日鑑賞期，可以無條件退回商品或書面解除契約，前者是因為消費者未能看到商品的實體，後者則是基於消費者通常是處在毫無預期又未經深思的情況下締約，因此提供反悔的機會。故事中魔法師是在宮殿門口叫賣，被動等待公主前來交易神燈，並非直接上門、貿然提出交易的邀約，應不屬於訪問交易的情形，不適用七日鑑賞期。

老婆可以沒經過我的同意，
就把神燈賣掉？

聰明的你可能會疑惑，神燈是明明是阿拉丁的，公主怎麼可以擅自將它拿去和別人交換呢？沒錯！早在阿拉丁占有神燈這個「無主物」時，他就成為了神燈的所有權人，就算阿拉丁後來和公主結婚、成為夫妻了，神燈也不會變成是他們兩人共有的。

你是否會有另一個疑問：「咦，那麼公主跟魔法師互易神燈的行為，是不是就不算數了？」

如果公主是用「配偶的名義」將阿拉丁的東西進行互易，法律上稱為「代理」，照理說需要配偶的同意，否則則會變成是「無權代理」，導致互易行為的效力產生瑕疵。不過法律上也考量到，配偶共同經營家庭，常會需要幫彼此處理家務，一般人也會認為他們有取得對方的授權，於是立法者就在《民法》中規定夫妻在「日常家務」上，例如繳交帳單、買生活用品等，可互為代理人，也就是説不需要特別經過對方授權，代理對方所做的行為就會有效。但要注意的是，將這個平常「只有阿拉丁在使用的舊油燈」換成新油燈，可能不算是「日常家務」，因此無法適用這個規定，所以公主將神燈與魔法師互易的行為仍然屬於「無權代理」喔！

若公主是用「自己的名義」，拿了配偶的東西進行互易，則是涉及「無權處分」的問題，意思就是明明沒有權利處分這個東西，卻做了處分的行為，這會導致對這個物品的處分效力產生瑕疵。因此，在公主「無權代理」或「無權處分」的狀況下，只要阿拉丁事後不承認這筆交易，那麼這個以物易物的買賣就不成立，神燈就仍屬阿拉丁所有。只是法律在「無權處分」的情況下，也會保護不知情的買家，假設並不知道賣家不是物品真正的所有權人時，法律會選擇保護這個善良又可憐的交易對象，視他為「善意第三人」，讓這個交易是有效的。

在這個故事中，公主並沒有特別提起自己是代替阿拉丁互易神燈，所以她的行為應該是涉及「無權處分」。但是，跟公主交易的魔法師本來就知道阿拉丁才是神燈真正的所有權人、公主是無權處分的人，而且，魔法師更是故意設下圈套，想騙不知情的公主，他可不是所謂「善良又可憐的交易對象」，所以他也無法受到法律保護。只要阿拉丁主張互易行為的效力有瑕疵，阿拉丁可以否認這筆交易，取回舊神燈喔！話又説回來，神燈精靈才不會理法律規定咧，只要誰搓了神燈，他就認誰當主人啦。

Q 只要買賣雙方說好，就可以交易嗎？

A 不是喔！一些法律規範的違禁物，比如毒品、槍枝都是禁止販售或交易的。除此之外，法律更規定有些東西需要透過特定管道才能販售。像是醫藥或是醫療器材需要有藥師執業的地方才能販售。

曾經有新聞報導一位剛生完小孩不久的婦人，覺得用不到先前已經購買的額溫槍、產後束腹帶，加上想要節省開支，於是便在網路上刊登訊息，表示想要以額溫槍和束腹帶與網友交換嬰兒奶粉，結果竟然被檢舉觸法。

原來額溫槍與產後束腹帶屬於《藥事法》中的醫療器材，由於醫療器材的好壞，與公共衛生以及人的身體健康有關，所以法律對於藥品、醫療器材的製造、販賣等，都有一套嚴密的管理程序，只有取得藥商執照者才可以販賣藥品及醫療器材，若違反規定可是會被罰錢的！

即使乍看之下，婦人並沒有「販賣」額溫槍與產後束腹帶，只是尋求「交換」，但就像前面提到的，「互易」本質上和「買賣」很相似，因此會適用買賣的規定，同樣的，行政機關此時也會將這種「互易」的行為認定是「買賣」，一樣要注意交易的物品事項，可別不小心違法了喔！

善意第三人

「善意第三人」在法律上指的是對於未參與的法律關係毫不知情的人。在交易買賣時，如果有人拿了其他人的東西出來販售，而只要買方是不知道此事的第三人時，原則上交易就不會受影響。試想如果買所有東西都一定要確定賣方的所有權，這會增加買方的交易成本，導致交易困難，不利於交易市場發展，因此立法者規定原則上「善意第三人」可以受保護，但還是有一些例外的狀況。

通訊交易及訪問交易

企業經營者以廣播、電視、網路、電話等方式，使消費者在未能實際檢視實際商品或服務的情況下，而與企業經營者訂立的契約。例如透過電視購物臺、網路商城購買產品，由於此時消費者未能實際接觸該產品，因此立法者會特別保護消費者，像是提供七日鑑賞期。訪問交易則是指企業經營者未經邀約，而與消費者在其住處、工作場所、公共場所等地方訂立的契約。例如逐户按門鈴拜訪推銷產品，由於此時消費者通常是毫無預期且缺乏足夠的資料或時間思考是否購買該產品，因此立法者為了保護消費者，也提供七日鑑賞期。

未經別人同意，就把他們的東西送人或販售本來就是不對的！

09 射到我船上的箭，是我的嗎？

在三國的故事中，周瑜與諸葛亮都是足智多謀的軍師，時常暗中較勁。

軍中缺箭了，請先生負責製造十萬支箭，不知道十天是否足夠？

沒想到，諸葛亮卻說……

我只需要三天！三天交不出來，甘願受罰。

諸葛亮到底葫蘆裡賣什麼藥啊？魯肅，你去看看他打算怎麼造箭。

請借我二十條船，船要用黑色布簾遮起來，並將草堆排在船的兩側，另外，請向周瑜保密。

好的，我來準備船隻。

前兩天，諸葛亮都沒什麼動靜。
別緊張，我們等東風吹起～

三更半夜，您要做什麼？
走，一起去取箭。

趁著大霧，諸葛亮將船用繩索連結起來，駛向曹營，他並安撫魯肅別擔心，等到霧散就返回。而曹操看到船就發動攻擊，不一會兒，船上射滿了箭。

啪！
啪！

感謝曹丞相賜箭。

曹操才知道自己上了當，
但已經追不上諸葛亮了。

掉到我家的東西，就是我的嗎？

諸葛亮利用曹軍，誘使他們將弓箭射到草船上，進而把弓箭作為己用，在戰場上是很高明的策略，不過如果從法律的角度來看，似乎會有一些問題！首先需要思考的是：曹操的箭射到諸葛亮的船上，就變成諸葛亮的嗎？

曹操從頭到尾都沒有「同意」要將箭提供給諸葛亮使用，他們彼此之間更不會有「使用借貸契約」關係，所以故事中的草船「借」箭，其實在法律上「借貸行為」根本不存在。此外，在法律上，弓箭原本是曹軍的所有物，並不會因為射到諸葛亮所屬陣營的草船上就變成諸葛亮的。不過，在戰爭中曹操下令射箭只是要攻擊敵方，射出去的箭本來就沒打算要拿回來，所以就算諸葛亮拿走，其實也不會怎麼樣的。

回到日常生活中：如果同學的文具「不小心」掉在你的座位底下，或是遺留在你家，那麼這個文具會不會變成你的呢？答案當然是「不」！文具仍會是歸同學所有，因為同學既然沒有要贈送、出售或出於其他原因而將所有權轉讓給你，也就不會因為東西掉在你家或是你的座位底下，就變成你的啦。

不過有一種情況在法律上比較特別且例外，那就是「果實」。由於果實是從果樹上長出來的，因此果實在法律上被歸為一種「天然孳息」，照理說，就算果實因為成熟而自然掉落、與果樹分離了，也仍然屬於果樹的主人所有。然而，立法者卻規定果實會單純因為「掉落在隔壁的土地」，就變成那塊土地主人的，我們稱為「果實自落於鄰地」。

立法者會這樣規定，是希望避免鄰居之間為了「果實到底是誰的」、「既然是你的，為什麼會掉落在我的土地上？」而爭執不休，甚至吵鬧不和，所以乾脆直接規定，果實掉在哪塊土地上，就是誰的，便於容易判定。

但為了避免有人濫用這個規定，想盡辦法讓鄰居的果實掉落在自己的土地上，因此立法者也設下限制，果實必須是「自落」於鄰地才可以，像是因為風吹，或是果樹長得太茂盛越過圍牆而最後果實就這樣掉進鄰居家的庭院才行。相反的，假如果實是基於鄰居故意撥弄的行為，才掉到鄰地上，就不能適用這個規定，更重要的是，這樣的行為還可能會因為侵害別人的財產權，違反「侵權行為」的規定，必須負起賠償責任喔！所以如果果樹主人想要保有所有果實，不想與鄰居分享，那麼定期修剪還是重要的！

不過可不是所有自己掉落的果實都是可以撿拾的喔！要是果實是掉落在空地或是馬路上，由於果實掉落的土地並不是私人的，而是在國家擁有的公用地上，立法者認為，此時就沒有替大家當和事佬、重新分配果實所有權的必要，因此並不適用「果實自落於鄰地」的規定，也就是說，掉落的果實不會變成是「國家的」，這時候，就要看看果樹的主人是誰，因為果實仍然屬於果樹的主人！

如果鄰居種的樹長到我家庭院，可以幫他修剪掉嗎？

或許有人可能會疑惑，那麼假如鄰居種樹，但樹木的枝枒過於繁茂，已經越過圍牆長到我家的庭院了，而且我覺得樹枝已經妨礙到我家的景觀，可以自行修剪樹木嗎？

答案是：不行。

鄰居種的樹，就算越界長到你家去，果樹還是屬於「鄰居的」，不會變成你的，既然非你所有，那當然是不能隨意處理別人的東西囉！不過，如果這樣「越界」的情形已經妨礙了自身對土地的利用（例如擋住出入口、無法擺設物品），也是件很困擾的事情，因此法律規定：可以先通知鄰居，叫他在一定的期限內修剪或者移除越界的植物。

要是發出請求之後，鄰居依舊沒有在這個期限內處理，繼續不理不睬，此時我們才可以「替」他修剪或者移除植物，並且，如果在修剪或者移除的過程中有因此產生費用的話（例如需要僱用工人搬運），也可以請求鄰居償還此費用，畢竟是「他的植物」先占用到了別人的土地啊！

Q 路邊的或是公園中的果實可以摘來吃嗎？

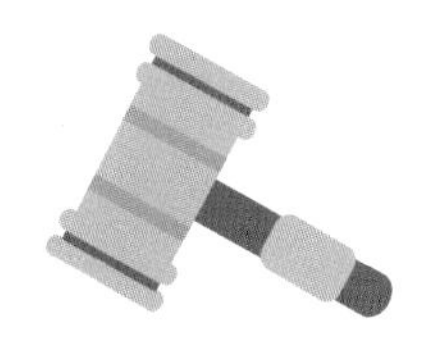

A 聰明的你，應該知道路邊或是公園中的樹木、果實是屬於國家的吧？所以，答案是不行喔！

幾年前，臺中有一名婦人將空地旁的兩株波斯菊挖採回家，便被警察以竊盜罪移送法辦。假如最近市民看見公園的果樹結了果實，便把它從樹上摘下來吃，這樣的行為究竟有沒有問題呢？

首先要釐清的是，由「市政府」栽種的樹木，當然是屬於國家的，而樹木長出來的花朵及果實仍然屬於樹木的一部分，所以也屬於國家的。即使果實已經掉落在地上，也不會改變這件事情，因此無論是在果實尚未掉落時，還是果實與果樹分離後，除非政府有公告「產果期間民眾可自由摘取」，否則大家還是不要亂摘，以免觸犯法律的規定喔！而且，通常路邊或是公園中的果樹，政府都會進行養護，甚至常會噴灑藥劑，為了自己的生命安全著想，還是不要隨便撿拾路邊的果實，並把它吃下肚喔！

路邊來路不明的果實還是別摘來吃啊！萬一出事可是得不償失！

侵權行為

如果故意或是過失，而侵害別人的「權利」，包含害別人受傷、財產損失、死亡，或是損壞無品等，就有可能會成立《民法》上的侵權行為，需要負損害賠償責任。法律上會考量損害權利的不同，而有不同的賠償認定。不過要注意的是，「侵權行為成立」不代表一定是犯罪。例如有人不小心撞到我的車子，造成車子受損，侵害我的財產權，那就是《民法》上的一種侵權行為。如果是偷走我的錢，也是侵害財產權，所以也是一種侵權行為，但同時也涉及偷竊罪，所以要記得侵權行為不一定是犯罪喔。

孳息

孳息是指物品或是權利所產生的額外收益，分為天然孳息與法定孳息。天然孳息為依照物的自然使用方法所產生的收益，例如牛奶、果實等；法定孳息則為因法律關係所產生的收益，例如租金、利息等。

10 占領房子很久就是我的？

不萊梅的樂隊

德國有個知名童話「不萊梅的樂隊」，故事是這麼開始的……

這隻驢子已經老到拖不動重物了，不如殺掉牠，驢皮還能賣個好價錢。
主人想殺掉我，還是快逃吧！

驢子才逃出農舍不久，在路上遇到同是天涯淪落人的雞、貓和狗，牠們決定結伴，前往不萊梅當樂手。

前面有間屋子，不如我們去那裡休息，說不定還能演奏音樂，換取晚餐呢！

屋子裡有四個強盜正在享用大餐。於是，牠們決定用拿手的音樂換取晚餐。

沒想到，強盜卻被這不知道哪裡來的可怕聲音嚇得連滾帶爬的逃出了小屋。

難道有怪物嗎？
一定是森林裡的怪獸來了！
別說了，快逃啊！

他們居然丟著大餐走了耶！
魚看起好好吃啊！
好餓啊！
賺到一頓大餐囉！

到了深夜，強盜決定派一個人進入房子裡，卻被四隻驚嚇的動物攻擊。

強盜以為房子被什麼可怕的怪物占據，便屁滾尿流的逃走了。
而這四隻動物則從此住在森林小屋，過著幸福快樂的生活。

占久了，東西就是我的嗎？

誤打誤撞打擊退強盜的四隻動物，從原本的離家、無家可歸，後來卻順利占據小屋，有了自己的家。不過，房子真的從此以後就變成牠們的了嗎？

如果在現代，這四隻動物們得符合法律上認定的「時效取得」，才能真正擁有這棟房子。「時效取得」的意思是，當一個原本沒有權利占有這個東西的人，將東西占為己有，覺得東西屬於自己，不認為自己是在借用或是承租等；在一段時間後，就有可能成為真正的權利人，變成這個東西真正的主人。不過，時效取得的要件需要「無權占有人是以和平（不是以暴力脅迫的方式）、公然（要坦蕩蕩不可以躲躲藏藏），並且持續占有一段時間」所有條件，才符合「時效取得」這個制度的要求。

對於「持續占有一段時間」的要件會根據動產（比如筆、手機等）、不動產（比如土地、房子等）、善意或惡意而有所調整。就不動產而言，原則上無權占有人需要符合長達 20 年的占有，但如果無權占有人是善意、無過失的，那就只需要 10 年的時間；以動產而言，原則上需要 10 年的時間，但同樣如果占有人是善意、無過失的情形，則可以縮短至 5 年的時間。

不過要注意的是，因為我們國家針對土地所有權採有「登記制度」，因此只有「未登記的土地」才適用時效取得。換句話說，當某個人看到一塊空地想占為己有，應該要先去查詢地政機關的土地登記公示資料，只要該筆土地是登記在某個人名下的財產，就不能主張時效取得，這也是登記制度存在的目的，而應該優先保護土地所有人。

所以這棟房子從此不屬於我們了嗎？

時效取得制度的目的，主要是法律認為東西的權利應該要好好自己掌握，如果原始持有人都可以允許自己的東西讓別人占有這麼久，就代表持有人也沒有很在意自己的東西，法律上認定，此時針對東西的權利進行重新調整，也是一個適當的機制，同時促進物盡其用。然而，如前述所說，還是要符合前述，有登記在案的土地是不適用時效取得的，只有「未向地政機關登記的不動產」才適用「時效取得」。

另外，成功滿足時效取得要件「沒有法律依據的租借關係、和平、公然、持續占有一段時間」的人，針對動產的部分，因為沒有登記制度，所以只需占有那樣東西就成立；不動產則非如此，占有人只是取得可以去登記的「資格」，但地政機關仍會實際去審查占有人有沒有符合時效取得的要件。在占有人登記成功前，真正的所有人都還是有機會可以要求占有人返還土地。這樣取得動產或不動產的方式，在法律上稱為「原始取得」，表示這個「物」上所有的權利到此為止全部都會消失，一旦占有人登記成功之後，之前的登記人是沒辦法來要回這個東西，所以千萬要留意自己所有物的權利喔。

不過，要特別注意的是，如果是像森林這種「國有地」，無論有沒有進

行登記，都不適用時效取得。

此外，如果是在路上撿到東西的情形，則有專門針對遺失物的規定，也不適用「時效取得」。撿到遺失物的時候，應該盡速將東西還給遺失人或是交給警察局或其他有權利處理的機關，再由這些機關會以適當方式公告招領，而如果擅自將撿拾的東西占為己有，就有可能會有《刑法》上侵占遺失物的責任喔。

還記得動物們是怎麼占有強盜的森林小屋的嗎？一開始，動物們只是想演奏音樂換取晚餐，沒想到強盜們卻奪門而出，後來動物們又誤打誤撞非惡意、「不小心」趕走了強盜，最後一連串的巧合，牠們成了小屋的占有人。我們假設森林小屋是沒有登記的狀態，如果強盜一走了之，再也沒回來，而四隻動物又認為「從此自己就是所有人，並且占有這棟房子達二十年」，這樣的情形，就可以符合「和平、公然、持續的占有一段時間」，因此牠們就有機會成為新的森林小屋所有人。

不過，要是強盜又折返回來小屋確認，而四隻動物們卻起了惡意，畢竟誰都不想回去過以前流浪的日子，因而以嘶吼、咬人的方式趕走了強盜，那麼牠們並不是以「和平」的方式占有森林小屋，也就不會符合時效取得的要件，因此，就算住滿二十年，也不會機會成為房子的所有權人。這個法律規範是不是很特別呢？

Q 有「取得時效」，也有「消滅時效」嗎？

A 沒錯，法律上除了「取得時效」，當然也有「消滅時效」的規定。

「消滅時效」顧名思義就是會讓權利消滅的制度。這是為了不要讓雙方的法律關係長時間處於一個不確定的狀態，並鼓勵權利人儘快去向對方請求對方履行應該要履行的義務所設的制度。換句話說，「消滅時效」的發生，是因為權利人太久不行使請求權去維護自己的權利，而在法律規定的年限屆至時，讓對方獲得一個拒絕履行的理由。這兩種制度最根本所要保護的思想，就是在維護已經發生的法律關係。

一般來說，法律是會保護原有的權利人，只有在他自己也不怎麼在乎自己權利的時候，那法律就會選擇保護這個錯誤，以及這個錯誤所衍生的法律關係。

另外，「時效取得」和「消滅時效」的效力與時間規範也不相同。當小明到漫畫店租漫畫，而起借了兩年都沒有還，這段時間老闆也都沒有催促、也沒有通知小明歸還，如果到了第三年，漫畫店老闆突然想起來要小明還書，跟付這段期間的租金，小明針對租金的部分，就可以主張「過了消滅時效規定的時間」而不還。然而，就漫畫書的部分，由於老闆還是書的所有權人，而且這部分的「消滅時效」的時限也比較長，長達 15 年，因此小明還是要把書還回去。

消滅時效的年限，並非都是 2 年，會依據不同的物件而有不同的時間規範原則上法律上規定的消滅時效會是 15 年，像是借別人 100 萬讓對方創業這種情況，就會是 15 年時效。一般日常生活、繁瑣的事情，就會是比較短的請求權時效，像是去餐廳吃飯沒付的錢是 2 年；跟別人借錢所衍生的利息則是 5 年。由此可見，法律也會針對不同程度的問題，有相應的處理吧。

原始取得

是指取得物件時，這個物件是「乾淨」的，這裡指的乾淨可不是沒有被弄髒的意思，而是物件並沒有任何權利負擔，也就是不用擔心會有其他人來向你主張「這個東西本來是我的，你應該要還給我。」像這類型的取得方式，包括徵收或是時效取得等等。而與之相對的就是「繼受取得」，最常見的例子就是向別人購買物品時，因為買賣移轉的原因，要承擔該物件的所有權利義務。

登記

《民法》上主要有兩樣事情會需要向政府登記，在財產法上就是不動產的所有權如果獲得、喪失或是變更時，會需要向地政機關進行登記；《身分法》則是出生、結婚這種身分有變更的時候，需要向户政機關進行登記。主要是因為國家必須掌握關於土地、人口的流動，而這兩者也是國家發展的重要基礎，其中不動產的交易對一般人民來說會是重大交易，為了確保交易安全，國家為不動產建置的資料庫，可以讓人民在交易前先確認所有權是否真的屬於賣家以保障人民權利。

11 不知東西是贓物，可以占有嗎？

廖添丁傳奇

很久很久以前，有個名叫廖添丁的青年。他非常聰明，跟著廟裡的老師父學習功夫，練得又快又好！

某天，廖添丁在街上看到警察無故欺負人民，但他卻無計可施。

仗著權勢就這樣隨便欺負人，
真是太可惡了！

貪官的房子很華麗，
偷溜進去看看有沒有
什麼好東西！

這個貪官家裡果然很有錢，偷拿一些，
他一定不會發現。

才剛翻牆離開房子，廖添丁就看到路邊可憐
的母女，於是他將偷來的錢袋全給了她們。
謝謝這位大爺，您真是個大善人。

這些警察、高官欺侮人民，獲得的不義之財就
是應該還給人民，讓大家可以吃飽喝暖才對！

從那天起，許多窮人家家裡半夜會出現救急的財物，大家都傳說是菩薩顯靈了。
警察卻因為一直抓不到的小偷而大傷腦筋！

成為物品新主人的機會！

故事中伸張正義，替被欺負的人民出口氣的廖添丁很帥氣吧！劫富濟貧的他成為臺灣鄉野故事中永遠流傳的傳奇，不過，你知道嗎？這種打劫官員、富商家裡的行為可是會觸犯《刑法》的竊盜罪喔！但我們先來討論那些被廖添丁偷走的東西或是錢財吧！

那些被偷來的東西，在法律上稱為「贓物」。若是贓物輾轉流入市場販售，擁有贓物的新主人會犯法嗎？一般來說，在買賣時，我們會推定賣出物品的人就是物品的所有權人，否則如果每次交易都要買家先調查對方是不是所有權人，會導致整個社會的交易成本大增。而此時，如果一位沒有物品權利的人，把別人的東西賣給第三人的話，決定權會回到真正的所有權人身上，由他來決定這項買賣契約是否有效。不過，法律為了保障買家權益，如果第三人（買方）是善意的，也就是第三人根本不知道賣家賣的是其他人的東西，那麼他就可以例外取得所有權。

如果今天小明拿著一個玩具，說要賣給你，你決定購買，小明也將玩具交給你了；即使事後你發現小明根本沒有這個玩具的所有權，你也仍可以取得這個東西的所有權。此時，在天平的兩端的權利，一邊是「原所有人的權利」，一邊是「交易安全的保護」，法律會選擇保護後者。

《民法》非常重視「交易安全」，為了活絡經濟、促進交易流通，既然在交易當下，賣方有滿足法律對於「占有」的公示外觀，那信賴這個外觀而進行交易的人，則比「原權利人」更值得保護，這是為了避免大家在貨物流通時都要懷疑對方是不是真正的所有權人，而使大家在貨物流通的當下可以信任法律帶來的效力。畢竟，如果大家以後買東西都還要疑神疑鬼，對於每樣東西的原權利人是誰感到疑惑，這樣大家根本沒有辦法好好進行交易啊。

我們拿這些錢財去買東西，
也算是犯罪嗎？

獲得廖添丁捐贈錢財的窮人家，不管是否為當面致贈，如果他們並不知道錢包是廖添丁偷來的，而認為是好心人送錢來幫助自己度過難關，由於他們不知道這些錢的來歷，這些錢對於受贈者而言是「善意取得」，所以受贈者是不會吃上任何官司的。但要是受贈者明知道這些是偷來的錢財，還收下的話，就有可能會觸犯刑法上的「贓物罪」。

不過《民法》針對「贓物」規定，對於東西被偷走的原持有者給予比較高的保障，由於廖添丁不是透過「交易」將贓物交付給其他人，因此法律上會給予原權利人「兩年」的時間可以奪回屬於自己的所有權。但要是被偷錢的警察或是富商在兩年內，沒找到這群被送錢的窮人家，那麼最後就能確定受幫助的人是「善意取得」贓物，也不會惹禍上身啦！

在法律規範中，有一項與無端獲得利益有關的「不當得利」，它指的是在沒有法律上的原因而受利益，致他人受損害時，應當返還其利益。「不當得利」制度的目的，是為了矯正因為違反法律秩序所預定的財貨分配法則，所形成的財產不當移動現象，使一切回復公平合理的狀態。因此，如果發生財產變動，導致一方受到損害，而一方受有利益，而兩者之間的關係是沒有法律支持的話，受有利益的一方就應該將利益返還。像是現實生活中，如果有人在匯款時，因為輸入錯誤的帳號，而將錢匯到另一個人手中，那麼這個獲得意外之財的人其實不應該獲得這筆金錢，便屬於「不當得利」，必須要把錢返還給原主人。

要注意的是，法律上會按照不同的狀況，而有不同的判斷。假設，王小偉將別人的東西賣給阿欣，為了「交易安全的保護」，阿欣就不需要返還這個利益；不過，如果小偉是無償把東西送給阿欣的話，阿欣就需要承擔返還那個利益的責任，畢竟付出的「代價」是不一樣的。在評估過後的付款是有償的狀態，法律當然比較保障；但如果是沒有付錢而無償獲得的，法律會認為「原權利人」的利益更值得保護，所以若是無償取得，物品的原持有人是可以向阿欣要回東西的。

然而，雖然法律上有「不當得利」的相關規範，但實際上，一般會認為「善意占有」是「不當得利」中的特別規定，因此在遇到可以用「善意占有」規定處理的問題時，就不會參照「不當得利」的規定。按照現代的法律，理論上只要在兩年的時效消滅後，那些善意占有的人們，就可以拒絕返還錢包（當然還有那些白花花的銀子），而丟失錢包的人們就只能轉而去向廖添丁請求損害賠償了。

那些官員、警察欺負人民，難道就不是「不當得利」嗎？

官員跟警察透過壓榨人民取得的錢財，或許讓人生氣，但除非是明顯的貪汙，否則都很難以法律介入。在現代，一些政府官員如果貪汙、收賄，並做出違背自己職務的行為像是收受回扣、侵占或竊取公有的財物，或是藉勢勒索、強占別人的財物等等，行為的本質都是不當的從人民這裡獲得不該獲得的利益。然而「不當得利」是民事法上為了調整雙方當事人間的權利狀態而生的制度，作為國家公權力行使代表的公務員如果做了上述那些行為，則是犯罪，屬於《貪汙治罪條例》所規範的範疇。除了《刑法》上所規定的瀆職罪外，另外設置《貪汙治罪條例》，在遇到公務員有瀆職的情況時，就會優先去檢視《貪汙治罪條例》的規定。也因為它是《刑法》的特別規定，犯罪後的法律效果也會比較嚴重。以收賄罪為例，《刑法》上規定公務員收賄是 3 年以上、10 年以下的有期徒刑，而《貪汙治罪條例》則規定無期徒刑或是 10 年以上有期徒刑，對於可以併科的罰金也是刑法的 5 倍呢。所以，身為公務人員可別像故事中的官員和警察一樣，斷送前程呢！

Q 如果買的東西被原權利人取回，只能自認倒楣嗎？

A 不是這樣的，法律基本上都是合乎邏輯的，直覺上該負責的人，在法律設計上就會讓他負責。

以買賣契約為例，A 賣東西給 B 時，必須擔保不會有第三個人跑出來對 B 說：「東西是我的。」而要求返還，也就是法律上所謂的「權利瑕疵擔保」。

這個責任是「法定無過失責任」，也就是不管出賣人主觀上是不是不小心犯錯，只要有疏失發生，出賣人就要負責。除了瑕疵擔保責任外，還有最普通的「債務不履行」的責任可以要求出賣人要負責。因此，最終亂賣別人東西的人，還是需要付出代價的。

曾經有一對情侶偷偷跑去田裡偷別人家的蔬果，用非常便宜甚至可以說是無本價在 Facebook 上的社團售出，許多民眾被吸引而在社團紛紛搶購，被竊的農民報警後，警方依竊盜罪將兩人依法送辦。而在網路社團上購買蔬果的人，因為是從公開場合中所購入，在衡量交易安全跟原權利人的權利保障後，農夫雖然可以向顧客請求返還贓物，但農夫必須要支付他們跟情侶所購買的費用；而這些從社團購入蔬果的人，則可以向情侶要求負擔瑕疵擔保責任，也就是說，這對情侶不但要面臨刑事責任，更要擔負民事上的責任。

因此，看到來路不明又價格過分便宜的東西，都要注意來源極有可能是贓物，畢竟世上絕對沒有不用付出相應對價而取得的東西，貪小便宜最終都可能造成更大的麻煩。

公示外觀

是指當擁有物權時，必須有讓社會大眾足以辨識的外觀。在動產物權上是指「占有」；而在不動產物權上則為「登記」，單純占有（例如住在房屋裡）並不被法律認可是所有人，而必須要去地政機關進行登記。

瀆職罪

瀆職罪規定了一系列公務員沒有好好遵守公務員應該有的廉潔，而發生徇私舞弊、玩忽職守的情形，《刑法》上則包括賄賂、收賄、為了私益背棄法律的意思而為裁判、以不正當的方式追訴犯罪、凌虐犯人等情況，都被認為是《刑法》所不允許的「瀆職」。

併科罰金

這是一種科處罰金的方式，是指除了其他刑罰以外，還必須繳納罰金。另一種則稱為「易科罰金」，是指可以用繳納罰金的方式免於其他刑罰，簡單說就是用錢換自由。

原來看似行俠仗義的偷
盜依舊是犯罪行爲啊！

12 送的禮物出問題，要負責嗎？

金銀斧頭的故事

從前從前，有一個樵夫，每天會帶著他最寶貝的鐵斧頭，上山砍柴維持生計。
這把斧頭，刀鋒銳利、刀柄好握，可以順利砍柴，CP 值超高！

沒想到工作時，樵夫一時不小心滑倒，斧頭掉入河中……
天啊！斧頭是我吃飯的工具，這下該怎麼辦？

你有什麼煩惱嗎？
你是天神嗎？請幫幫我！我的寶貝斧頭掉進水裡了……

這把閃亮亮的斧頭是你的嗎？
這兩把都不是！

那麼，這把是你的斧頭嗎？

刀鋒銳利
刀柄好握
沒錯！這就是我的寶貝斧頭！它對我真的很重要，它……

河神很訝異樵夫竟然是這麼誠實的人，便開心的將三把斧頭都交給他！

可是，金斧頭跟銀斧頭不能拿來砍柴啊……

樵夫將自己的奇遇告訴鄰居，其中一個鄰居也想如法炮製，
卻因為貪心而連自己的斧頭都沒拿回來。

嗚……我的斧頭啊！

送東西給人家，還要負責？

生活中，送禮給朋友很常見，比如送生日禮物、情人節禮物，又或者只是日常生活中因為覺得對方會喜歡，而順手買的小東西，只要沒有跟對方要報酬等，在法律上都視為「贈與」。由於贈與和「買賣」一樣，很常發生，因此法律上也對「贈與」有所規範，讓當事人間有一些準則依循，作為發生糾紛時可以處理紛爭的辦法。

「把東西送給別人」這種行為，在說好要送的時候「贈與契約」就成立了。像是「贈與契約」這種不要求對方要給與相對應的報酬，只有「契約的一方有義務」，而對方無須相應對待及給付義務的契約，在《民法》上會稱為「單務契約」。贈與契約就是典型的「單務」且「無償」契約。

即使送東西只是一瞬間的行為，但雙方的權利義務關係也就在這一瞬間就產生了。或許有人會納悶，只是送東西給別人也需要「契約」去規範嗎？事實上，《民法》列出的「契約」有很多，除了贈與外，像是買賣、租賃、雇傭等等，都是一些立法者在訂立規範時，所能想像到的常見的契約類型。只要是提前先說好雙方權利義務關係的行為，就是「契約」。「契約」可以來自當事人雙方彼此自行約定要有怎樣的權利跟義務，也可以透過《民法》事先規定好的「契約內容」去處理。

河神送給我的金斧頭如果壞掉了，我可以請他修理嗎？

如果當事人彼此之間沒有特別約定，在發生像是「反悔不想送了，怎麼辦」、「東西壞掉可不可以要求對方換一個」或「送的東西壞掉，導致受贈人受傷」等糾紛，就可以依循《民法》的贈與契約去處理。

然而，對於這種「好意施惠」，立法者通常都不會施加太多責任在贈與人或受贈者身上。比如在贈與人還沒給對方贈與物前，都可以反悔，並撤銷贈與，另外，贈與人可以不用像一般買賣契約一樣，賣家需對賣出的物品負「物之瑕疵擔保」責任，贈與人只需要對因故意或重大過失而「不能給予原先要給予的物品或內容」負責任，比如明明答應要把蘋果送給 A，但卻故意放到蘋果爛掉才送人；明明知道球鞋不是自己的，球鞋主人也不會答應的情況，卻答應將鞋子送人，這時贈與人就得負責。

不過，如果贈與人是明知道送的東西有瑕疵但故意不告訴受贈人，或是對外保證「這東西絕對沒問題」的前提下，贈與人就需要負擔前面所說的「物之瑕疵擔保」的責任。舉例來說，如果一間房子明明是有壁癌的情況下，卻對別人這樣說：「這房子我才剛全新翻修過，什麼問題都不會有的，就安心入住吧！」這種情形，受贈人才可以請求贈與人負責。

大家都知道「純金」質地軟，雖然不容易斷裂，但很容易彎曲，根本就不可能拿來砍柴。如果依據「斧頭是用來砍柴」的標準來看，「金斧頭」根本就是一個「瑕疵品」。不過它的價值卻遠超過「用來砍柴」，而且受贈人得到不能用來砍柴的金斧頭並沒有損失，因此在河神與樵夫的贈與行為中，贈與人河神是不用對金斧頭負責的！

我們從小到大，一定都聽過大人這樣跟我們說：「東西給別人了就不要要回來了，沒有禮貌！」這不僅是禮貌，法律也是這樣規定的。不過，「附負擔的贈與」是其中一種例外。「附負擔贈與」是指把東西送給別人的時候，有要求對方要完成一定行為，這個贈與契約才會確定有效。這種「負擔」是契約的附加條款，本質上仍然是「贈與」的一部分，也就是「以贈與為主、負擔為從」的形式，而不具有互為對價的性質。因此，「附負擔贈與」不會因此成為有償、雙務契約，而使贈與人要負擔過於苛刻的義務。另外，這種樣態的贈與契約，就算沒有白紙黑字寫下來，也仍然成立，只是有書面合約，更可以保障雙方而已。

如果受贈人不履行贈與人指定要做的行為，贈與人可以要求受贈人履行，或者撤銷贈與契約，舉例來說，像是 A 跟 B 約定幫 B 支付所有的補習費用，只是 B 必須要考上今年的律師考試。現實生活中，更常見的「附負擔贈與」，則像是父母為了避免被課徵遺產稅，就先贈與一棟房子給小孩，但約定等到父母退休後小孩必須要負擔父母的生活開支。假設河神給予樵夫金斧頭銀斧頭有附加條件，像是要求樵夫要永遠誠實，這時候要是樵夫說謊，河神就可以撤銷贈與契約，回收金、銀斧頭。

Q 送禮物給別人，為什麼國家要課稅？

A 贈與稅的出現，是為了避免有人利用「生前贈與」的行為，來規避「遺產稅」。

或許會有人好奇，不論是遺產或是贈與行為，都是我們拿自己的賺得的錢去送給自己想送的人，為何國家要介入？這是因為國家需要稅收來維持外交、國防、教育及社會福利等各方面的運作，既然每個人的成長過程中都會需要這些東西，因此就需要全民來負擔。

那麼國家為什麼可以課徵遺產稅？對「遺產」課稅的基礎有不同面向的討論。以「讓社會有效率運作」的角度思考，有錢人家的小孩可能會想大肆揮霍父母的財產，而導致國家資源的配置被扭曲，因此為了提升經濟效率，國家會對遺產稅課稅；又如果從「公平」的角度切入，贈與稅的課與，也可以達成稅制「促進社會財富分配公平」的目的。

不過為了避免國家隨便課稅，因此必須是「法律」有規定的稅國家才可以課徵，因為「法律」必須要經由「立法院」同意才會通過，而立法委員作為人民選舉出來的產物，他們的意見就可以視為人民的意見。課徵贈與稅是為了避免有人要規避繳納「遺產稅」，因此一般平常的「送人東西」的行為，法律都不會管，必須要是價值超過一定金額的贈與行為，國家才會介入。換句話說，按照每年每個人的贈與總額，政府會進行課稅，而我國規定在 224 萬元內，都可以不用被課稅。（唯贈與若是在 2021 年 12 月 31 日前發生的話，則是超過 220 萬就會被課稅。）

原則上，贈與稅是由「贈與人」繳納，但當贈與人行蹤不明，或是贈與人超過期限還有沒繳納的贈與稅，而他在我國境內也沒有財產可以執行時，或是贈與人死亡，但是還有贈與稅還沒有被核課稅的時候，就會例外由「受贈人」繳納。有些情況是可以不用被納入贈與稅的計算範圍內的，包括：(1) 捐贈給政府或公立教育、文化、公益、慈善機關的財產、(2) 夫妻之間送給彼此的財產、(3) 子女出嫁的時候，父母贈與的在 100 萬內的財產等，都不在贈與稅範疇內。

遺產稅與贈與稅

這兩種稅的本質都是「收受人是不勞而獲而取得東西」，但不同之處在於前者是「去世的人所給予在世的人」，後者則是「在世的人給予在世的人」。

後者的出現，是因為立法者在制定法律的時候，就想到有些人為了避免被課稅，會利用「生前贈與」的方式來避稅，然而既然本質上兩者是相同的，就沒有理由不對後者課稅，以達成稅制的目的。

13 結婚後，你的就是我的？

阿里巴巴的故事

阿里巴巴和哥哥卡西姆從小相依為命，感情非常要好，直到他們各自娶妻生子後，關係開始有點不一樣。

好想念以前和哥哥的兩個人生活啊！

卡西姆結婚後，開始做生意。在妻子繼承了一大筆遺產後，生意更是越做越大！

老公，我的錢就是你的，你可以自由運用，除了……

不准把我的錢借給你弟弟！
放心，他們休想從我這裡借錢！
你別在意哥哥和嫂嫂說的話，我一定會更努力賺錢，讓你過好日子！

有一天，阿里巴巴上山砍柴時，意外發現四十個強盜的藏寶地點……

阿里巴巴偷偷拿走四十大盜的財寶，一夕之間變成城裡最有錢的人，更是大家口中的好心人。

為什麼阿里巴巴突然比我們還富有？太奇怪了！

我要去看看他怎麼突然有這麼多錢。

你要小心卡西姆啊！不曉得他又會做出什麼事情！

沒想到，卡西姆跟蹤阿里巴巴，進一步發現了他變富有的祕密……

我的財產不是我的財產

在法律上，包含任何具有經濟價值的有形或無形的資產，例如不動產（包含土地與房屋）、存款、飾品、交通工具、股票、寵物、專利權等都可以視為財產。故事中的阿里巴巴雖然沒有什麼錢，但他擁有一頭勤奮的驢子、一間可以遮風避雨的茅草屋，這些都是他的財產；而哥哥卡西姆的財產則包含經商賺得的金錢、購買的土地、工廠設備。只要是具有經濟價值的東西就可以作為財產，就連鉛筆盒、書包、零用錢都算是財產！

當阿拉丁和哥哥各自結婚，與另一半共同組成家庭之後，家庭生活的運作可能用到的各項費用，包含日常用品、家裡的電器或是物品維修、食物等，都必須由他們與各自的妻子共同負擔。不過難道這就代表結婚後，夫妻兩人的財產從此不分彼此，你的就是我的，我的就是你的嗎？

在法律上，為了維護婚姻生活的和諧，並釐清配偶之間的財產分配以保障交易安全，立法者針對配偶制定了三種分配財產的方式，分別是：共同財產制、分別財產制、法定財產制。

「共同財產制」指的是除了「特有財產」以外，原則上雙方的財產都會採「你一半我一半」、兩人共同擁有；「分別財產制」則是「你的還是你的，我的還是我的」，也就是夫妻保有各自的財產權，既不用分一半給對方，也不會取得對方的財產。

而規定相對複雜的「法定財產制」是立法者花費許多心思設計出來的制度。法定財產制會將雙方的財產分成「婚前財產」與「婚後財產」兩個種類，兩種均由雙方保有各自的財產權，不會因為結婚而必須和對方分享，且雙方各自管理、使用、處分財產，債務也由自己負責；比較特別的是，家庭生活費用規定原則上由雙方依兩人的經濟能力、家事勞動等因素分擔。表面上和「分別財產制」差不多，但是在雙方離婚、約定改採其他財產制度，或者是其中一方死亡時，雙方會進行「剩餘財產差額分配」，這時候就有可能會獲得對方的「婚後財產」。

在家裡當家庭主婦，
讓丈夫安心工作，
難道就不算對家有貢獻嗎？

傳統社會中，不少妻子為了讓丈夫無後顧之憂的在外工作，因此辭職專心在家帶小孩、照顧公婆以及料理家事，當全職家庭主婦，也對雙方共組的家庭有所貢獻，但是家事工作多半是無償的，導致當家庭主婦的妻子沒有工作收入，也就沒有「婚後財產」。若是雙方決定離婚時，丈夫可以享有自己結婚後所有的收入，妻子卻一無所有，忽視她多年來對家庭的付出，未免太不公平了。

因此立法者之所以設計「法定財產制」的原因，就是在於肯定配偶在家事上的勞動價值，以落實真正的平等。舉例來說，立法者認為丈夫在婚後所賺的錢，應該也得算妻子一份，因此雙方的婚後財產在扣除婚後債務之後，

剩下的財產應該採平均分配，假如丈夫的婚後財產為 600 萬元，妻子為 100 萬元，此時差額為 500 萬元，所以妻子可以向丈夫請求差額的一半，也就是 250 萬元。

除此之外，不管是在結婚前，還是結婚之後，配偶之間都可以自由約定婚後要使用「共同財產制」或是「分別財產制」來分配彼此的財產。只是必須用書面的方式記錄，向法院正式登記，而不能只是口頭上達成共識。假如雙方沒有特別約定要採取哪一種財產制，依據《民法》規定，就是預設採「法定財產制」喔！

我得到父親的遺產，
可以不分給配偶嗎？

故事中曾提及哥哥卡西姆的妻子是富商的女兒，卡西姆和妻子結婚後不久，富商便過世而留下遺產，卡西姆的妻子因此繼承了一筆金額龐大的遺產，可以任意管理、處理、使用。故事中，她願意與卡西姆共同運用這筆錢，並告訴卡西姆：「我的錢就是你的，可以自由運用。」不過值得注意的是，現實生活中，假如卡西姆和妻子要離婚了，這筆屬於「妻子婚後財產」的遺產是不是也得分給配偶卡西姆呢？

答案是：遺產不必分給配偶！如果是依據法定財產制或共同財產制，當夫妻離婚時，會就彼此的婚後財產開始進行分配，但遺產是個例外。雖然這筆遺產是在卡西姆的妻子婚後才獲得的財產，但她之所以獲得這筆遺產單純是因為她是富商的女兒，這與「對她和卡西姆共組的家庭貢獻」無關，所以立法者認為這筆遺產不需要分給卡西姆，且不在需要進行剩餘財產差額分配的範圍。同樣的，若在結婚之後，因為其他原因而無償取得的財產（例如他人贈送的禮物）以及慰撫金（例如發生車禍，肇事駕駛支付的賠償），也都不需要分給另一半喔！

此外，立法者考量到婚姻中的其中一方可能有不務正業、遊手好閒或者是生活鋪張浪費的情況，既然對於另一方財產的增加或是婚姻生活沒有貢獻，當然就不能讓這樣的人坐享其成，因為此時如果仍對雙方的婚後財產採平均分配，反而對另一方不公平。

因此法律規定法院可以依據雙方對於婚姻生活的貢獻度去調整分配金額，像是會以雙方在家事勞動、子女照顧養育、對家庭付出的情況，以及共同生活及分居時間長短、雙方的經濟能力等來作為參考依據，避免不公平的狀況發生。

Q 房子登記在配偶名下，離婚後也可以一人一半嗎？

A 答案是可以的！

離婚之後，雖然金錢可以很明確依比例進行分配，但有些財產可能無法直接將物品切成一半，例如寵物、房屋等，這時候又該怎麼處理呢？

如果是寵物的話，一般會先以寵物晶片登記的飼主名字作為參考，但若發生爭議，也不能直接將寵物認定為登記飼主所有，還必須考量各種因素（如平常的照顧情況），判斷誰才是寵物的所有人。情侶或夫妻共同養育寵物時，可以預先擬好協議，決定誰才是寵物的所有人，以避免爭議。

此外，如果雙方在結婚之後一起買了一間房子，不過只登記在其中一方的名下，當雙方要離婚時，可以將房子要求一人一半嗎？

目前通常會讓名義上為房子所有權人的那一方，可以繼續單獨擁有房屋的所有權，但作為交換，取得房子的一方必須將房子的價值換算成具體金額，再支付一半的金額給另一方，這樣才公平！至於房子的價值，則依據離婚起訴時市場上的房價來計算。

至於不屬於「財產」範疇的小孩，在夫妻離婚後又該如何分配、決定歸屬呢？首先要先釐清的是，此時夫妻之間要分配的是對於「未成年子女權利義務的行使或負擔」，我們稱為「親權」，也就是誰可以成為孩子的法定代理人，替小孩決定重大事項如遷戶籍、銀行開戶、辦護照等，不過無論是哪一方取得親權，雙方仍有扶養小孩的義務，都必須支付扶養費！

親權要怎麼分配會先交由夫妻雙方協議，可以由其中一人行使或是雙方共同行使，一起擔任小孩的法定代理人，然而即便是共同行使親權，還是要決定小孩跟誰一起住，因此若是有協議不成的情形，會由法院決定。

親權

指父母對未成年子女行使的權利以及負擔的義務，除非法律有特別規定，例如法院宣告停止其中一方的親權，或其中一方有長期在監獄服刑、精神錯亂、疾病、生死不明的情形，否則由父母共同行使及負擔。

法定代理人

未成年人雖然在《民法》上欠缺完全行為能力，但仍然有進行法律行為的需求（例如國小學生想要購買鉛筆盒），為了保障未成年人可能因思慮不周導致損害（例如遭到商家欺騙），設計出「法定代理人」的制度，讓法定代理人協助未成年人進行法律行為，因此規定父母原則上為未成年子女的法定代理人。

「結婚」後，共同組織家庭，
代表雙方要一起維護家庭運
作，連財產也可能共有啊！

14 小美人魚，你的交易不合法！

小美人魚

傳說中，在很深的大海裡，有個美麗的海底王國，世代由人魚族的國王和皇后統治。他們的女兒從小就過著無憂無慮的生活。

小美人魚，你即將滿 15 歲了，要學會獨立囉！

15
人魚族 15 歲
為成年，
可以浮出
海面，自
由冒險。

好想要趕快到海面上探險喔！

艾瑞兒左顧右盼，終於等到自己的 15 歲生日，想看姊姊們口中說的夕陽風光，卻只看見……

生日快樂！艾瑞兒！

咦？那是什麼？

小美人魚救了那個人，並把他送回海邊。

回家後，艾瑞兒對那個人念念不忘，
嚮往到人類世界生活。

於是她去找擅長魔法的烏蘇拉尋求協助。

好想要有雙腿啊！

我可以給你一雙人類的腿，但你要交出你的聲音作為代價！

艾瑞兒真的能成功的換到一雙修長的腿嗎？她能自己決定這筆交易嗎？

我 15 歲，就算長大成年了嗎？

故事中的海底王國規範人魚族只要年滿 15 歲，就算是成年，可以獨立、為自己負責，甚至獨自出門歷險，還可以跟巫婆交易，但在我國《民法》規範中，以 18 歲為分水嶺，18 歲以下為「未成年人」。

《民法》中以 7 歲作為分界，未滿 7 歲被定義為「無行為能力人」；七歲以上則是「限制行為能力人」，既不像「無行為能力人」那麼不諳世事，卻也不到 18 歲見過足夠多的世面，是一個正在學習如何靠自己在這個世界生存的年紀，要有可以被允許犯錯的機會。

因此，所以立法者預設一個立場，那就是：「限制行為能力人」的行為，原則上必須要先得到法定代理人的允許才可以做。例如如果青少年小明想購買五萬元的電腦，由於交易金額實在過於龐大，所以基本上要得到法定代理人的同意，這個買賣契約才會有效，否則這個契約就會處於效力未定的狀態。

又或者小明將自己的手機送給喜歡的女生，或是小明在商店進行租借 wifi 的服務，前者的「贈與」行為跟後者的「租賃」行為在得到父母的同意前，也不會生效。但難道未滿 18 歲的人，任何買賣行為都要經過法定代理人的同意嗎？當然不是！立法者認為有些行為是 7 至 17 歲的青少年可以自己承擔的事，做這些事情時，不需要先得到法定代理人的允許。

哪些事情是「未成年人」自己就能決定的？

「限制行為能力人」並不像「無行為能力人」那樣，幾乎長時間都是由父母照顧。「限制行為能力人」的年紀落在國高中階段，有很長一段時間是與同儕、朋友相處，或是獨自在外生活，因此為了讓他們能有犯錯學習的機會，必須給予他們一定程度的自主權，讓他們不需要得到法定代理人的事前允許也能做。

未成年人可以自己決定的事情大約可以分為四類。

第一類是「日常生活必需的事物」。既然要讓限制行為能力人學習如何獨立，這種日常生活所需就是青少年們最好的練習，例如去買文具或是買晚餐等。不過如果是長時間、持續性的事情，而可能會帶給這些青少年不可預期的風險，就算是青少年所認為的「日常生活所需」的物品或行為，像是申辦信用卡，仍應要得到父母同意才行。

第二類是「純獲法律利益」，白話來說就是「單純獲得好處」！畢竟如果是單純獲得好處，那對限制行為能力人是百利無一害，所以獲得好處這件事不需要父母來決定有沒有效。比如去買早餐的時候，阿姨對你說：「帥哥！今天阿姨多煎一顆蛋送你啦！」這種贈與就是限制行為能力人自己就可以做的。

第三類是「強制有效的法律行為」。這種情況就是施詐術讓別人以為他是「完全行為能力人」或「已經獲得法定代理人的事前允許」，既然都能騙人，法律就沒有保護他的必要，因此他所做的法律行為也會有效。比如，10 歲的小明，他騙店家說已經得到媽媽的同意，可以買高價的手機，甚至連假的同意書都準備好了，這時候法律就認為這樣的行為是有效的。

第四類是「中性行為」。這類型的行為既不會給青少年帶來好處，也不會帶給他壞處，而是對他以外的人發生效力。比如說媽媽拜託你拿印章去收媽媽的掛號包裹，收到包裹的效力也是對媽媽發生，跟你無關。所以這類的事情不需要法定代理人事前允許也可以做。

我可以主張巫婆與
小美人魚的交易不算數嗎？

小美人魚年滿 15 歲，雖然根據人魚族規定，她已經成年，可以浮上海面去探險，但如果她是人類的話，按照我國法律的規定，她也還只是「限制行為能力人」，原則上做什麼事情還是需要得到法定代理人的允許。因此，如果店家要賣貴重的東西給青少年時，請記得在前述狀況底下要是對方的法定代理人不同意時，是真的可以反悔，不承認這筆交易的喔！

所以如果小美人魚是我國人民的話，就算她與巫婆簽合約，要用美妙的聲音來換雙腿，只要小美人魚的父母不同意這個交易，是可以反悔並拒絕交易唷！只不過，海底王國的法規可能不像我們這麼完善，就要靠人魚國王跟巫婆斡旋了！

Q 我不能自己決定如何使用零用錢或紅包嗎？

A 《民法》的「零用金條款」是指，在父母事前概括允許的範圍內，賦予限制行為能力人可以自由的花用金錢。父母沒有權利事後反悔孩子已經進行的交易喔！

前幾年有新聞報導：「一名母親爆氣衝進超商找店員理論，因為她的孩子才 9 歲，用紅包錢一萬塊去超商買遊戲點數。店員強調自己有試圖阻止他購物。這名媽媽在理論過程中，指出店員在法律上是不能販賣遊戲點數給小孩。」真的是這樣嗎？

依據一般人的成長經驗，法律雖然要保護青少年，但如果為了保護，而過度影響市場交易，當然也是不好的，所以法律也必須取得一個平衡。在前面的案例中，媽媽並沒有「回收」孩子的紅包錢，反而完全交由他使用，就代表媽媽默許孩子能自行使用一萬塊的紅包錢，因此就不能以「孩子，你錢花太多，我不承認這筆交易！」為由，撤回交易這是為了讓青少年能「在成長過程中學習理財」以及「保護交易安全」所作出的價值判斷。

但換個情境，如果今天是孩子利用一萬塊當中的一百塊去買樂透，不小心中了一千萬，那孩子是不是還可以自由利用獎金，而不需要得到法定代理人事前允許呢？一般認為，因為這個獎金是當初媽媽所沒辦法預期到的，為了貫徹「保護未成年人」的意旨，這筆錢的花用仍然要得到同意才行。

成年

原本我國施行《民法》，一直以來都是將「20 歲」視為成年年齡，對於是否要調整與《刑法》的完全責任能力（18 歲）一致，長久以來各界都不斷的在討論。由於現在的時空背景跟當初剛施行《民法》時已經不同，青少年就自己身心發展及建構自我意識的能力也有差異，加上國際潮流的走向，因此立法院在 2020 年 12 月 25 日三讀通過《民法》的修正草案，將成年年齡下修成 18 歲，並訂定在 2023 年 1 月 1 日施行。（作者註：為了避免讀者誤會，本書統一稱成年年齡為 18 歲。）

15 傻阿旺上街，出事誰要扛？

傻阿旺

大家都說阿旺是個傻孩子，常常搞不清楚狀況，甚至惹禍上身。
村裡的人一看到他都直搖頭，擔心阿旺又闖禍。

某一天，阿旺的媽媽買一塊白布給他，
準備幫他做新衣。

把這塊漂亮的布放在床頭，
一定可以讓我做個好夢。

沒想到，有個小偷偷偷潛入阿旺
的家，並把白布偷走了。

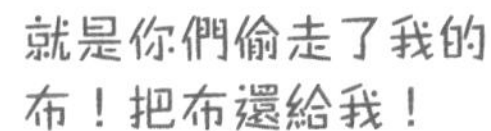

阿旺發現布被偷了，便出門尋找小偷的蹤跡。他在路上在路上遇到一群人敲鑼打鼓，身穿白衣的人……
就是你們偷走了我的布！把布還給我！
你有什麼毛病！我們在辦喪事，快走開！

他們身上的白布明明就是我的……
這些敲鑼打鼓的人是送葬隊伍，你應該要告訴他們：「人死不能復生，節哀。」才對啊！

過了幾天，阿旺又遇到敲鑼打鼓的隊伍。他想起爸爸的話……
人死不能復生，節哀。
臭小子，你在觸霉頭嗎？我得好好教訓你！

他們明明就在敲鑼打鼓啊，我沒有記錯爸爸教的啊。
傻阿旺啊，穿白衣是辦喪事；穿紅衣是在辦喜事！別再搞錯了啊！

阿旺真的不會再闖禍了嗎？還是其實他需要有人時時跟著他，比較安全呢？

究竟是誰需要處處被監護？

故事裡的阿旺好像跟一般人不太一樣，彷彿沒有基本的生活常識，無法與大家好好相處，一不小心就闖禍。或許阿旺是個特殊兒，需要旁人協助，甚至是代替他做決定。

普通的小孩之所以需要法定代理人，是因為法律預設未成年人是沒有自己做決定的能力，因此需要一個有「意思能力」的人（意指行為人可以辨識他的行為將會產生什麼效果的能力的人），替他們做決定或是輔助他們做決定，避免他們涉世未深的時候就釀成大錯而無法挽回。原則上所有未成年人在成年之前，法律上預設的法定代理人都是父母，只有在父母的利益與子女相反時，法院可以依父母、未成年子女、主管機關、社會福利機構或其他利害關係人的聲請，或是依照自己的職權，幫未成年子女選定特別代理人。

然而，當一個成年人的心智能力不足時，可能沒辦法只依靠自己就能買東西，也可能沒辦法只依靠自己就跟房東簽訂租賃契約，需要一個人來替代或是協助他處理生活的大小事時，包括本人、配偶、四親等內的親屬（如伯伯、叔叔、父母、自己的小孩等）、最近一年有同居事實的其他親屬、檢察官、主管機關、社會福利機構、輔助人、意定監護受任人或其他利害關係人都可以去向法院聲請「監護宣告」或是「輔助宣告」。這兩者的區別在於「監護宣告」是完全沒有意思能力；「輔助宣告」則是他只是需要有人協助，而兩者的具體判定還是要依據他的心智狀況判斷。

雖然故事中並沒有提到阿旺的年齡及實際狀況，不過在法律規範上，是會針對「被照顧者」的年齡，而對「照顧者」的權力有不同的規範。假設阿旺是小於 18 歲的未成年人，而且也是《民法》上認為的無行為能力人或限制行為能力人，為了避免他在生活上作出錯誤的決定，導致對他不利的法律效果發生在他身上，因此原則上像是契約的訂定還是會需要「法定代理人」的介入去代替或是協助他做決定，這就得視阿旺是無行為能力人或是限制行為能力人而定。

在阿旺未成年時，依《民法》的規定，父母就是他的「法定代理人」。不過如果父母去世，或是父母自己有發生心智障礙的情況而無法妥善的幫未成年人做決定時，為了維護未成年人的權利，就會透過「指定」或「選定」監護人的方式來擔任他的法定代理人。所以，如果故事中的阿旺未成年，他的父母仍在的狀況下，會由阿旺的父母來協助他做決定。

因為法律預設一個人成年後，是可以自己想清楚而做人生大小事的決定的，因此當阿旺成年後，父母就不會自動是阿旺的法定代理人，不再能代替他處理生活大小事。不過，如果阿旺成年後還是沒有辦法好好的在社會上生活，且被認定心智能力不足的話，阿旺的父母仍然可以去向法院聲請做「監護宣告」或「輔助宣告」，繼續協助阿旺生活。

要是阿旺已經是個成年人了，那麼法院也可以依照他本人或是他的配偶、他四等親內的親屬或是社福機構等人的聲請去作監護宣告，法院會從這些有權聲請監護宣告的人中挑選一個人或是數個人出來成為阿旺的監護人。

若法院不認為阿旺的情況有糟到需要聲請監護宣告，而是有理解及傳達意思能力，只是能力不夠好，或者可能不完全理解自己說的話代表什麼意義，在某些特殊的情況下需要有人「協助」他做決定，也可以透過「輔助宣告」的方式協助他的生活。

聲請人只要提出一些證明，像是心智評量表或是醫療證明等，都可以聲請輔助宣告。從法律上規定可以發現，受輔助宣告人在什麼樣的情形下，須要輔助人的事前同意或事後承認的規範行為與監護宣告者不同，基本上如果一些比較日常生活所需的行為，比如買早餐、報名英文補習班等行為，受監護人都還是可以自己做的話，那就不會被判定需要「監護宣告」。

到底受監護宣告或是輔助宣告，生活有什麼不同？

受「監護宣告」後，即便你超過 18 歲，也會成為法律上的「無行為能力人」，也就是沒有辦法以自己去作法律行為，必須由法定代理人去做。而受「輔助宣告」的人，則類似於限制行為能力人，如果是單純獲得利益或日常所需的行為，他仍然可以自己決定；當遇到一些比較重大、會嚴重影響他

權利的事，《民法》就規定受輔助宣告人必須要得到法定代理人的事前允許或事後同意，才可以自己決定。比如「當一間公司的負責人」、「當別人的保證人」、「賣或是租房子、船等重要財產給別人」、「拋棄繼承或是遺產分割」或是「監護人所指定的行為」等，都需要得到法定代理人同意。

其中特別要留意的是，關於受監護宣告者可否享有「選舉權」呢？依據現行規定認為不行，不過 2018 年行政院通過修正草案：為了落實身心障礙者權利公約的精神，並且考量到監護宣告制度在現代主要是在處理財產跟身分上的私法關係，如果是以這樣的考量來決定是否擁有選舉權並不合理。為了支持身心障礙者的參政權，國家所要做的應該是發展較為易讀的選舉資訊給他們或是其他輔助措施，而非全面的剝奪。然而截至目前為止，此案仍是草案，受監護宣告者現在仍然是沒有選舉權的！

Q 我可以自己決定法定代理人嗎？

A 如果是未成年人，只要他的父母都還健在，那麼父母就是法律所規定的「法定代理人」，不能說不要就不要。

當父母都不能行使親權狀況下，比如父母雙亡、父母都失蹤或父母長期在服刑等情況時，就須要「監護人」來填補父母的空缺。

這時候，可以依照法律所規定的「法定監護人」遞補順序分別是：與未成年人同居的祖父母、與未成年人同居已成年的兄姊、沒有與未成年人同居的祖父母。當這些人不適任時，未成年人自己、四親等內的親屬、檢察官、直轄市、縣（市）政府或其他利害關係人也可以向法院聲請要由別人來擔任監護人，而可以擔任監護人的人選包括三親等旁系血親尊親屬（如伯伯、叔叔、姑姑、阿姨等）、主管機關、社會福利機構或其他適當的人。

近年來，隨著單親家庭的增加，也有許多關於父母爭奪對小朋友「親權」行使的訴訟戰爭，也就是要由誰行使、負擔未成年人養育照顧的權利跟義務。法院在判斷時則會綜合考量子女的意願、整個家庭支持系統是否完善、原本的主要照顧者是誰等來決定。除了單獨行使外，有時也可以判定由父母雙方共同行使。

不過，如果孩子是成年人的話，又是另外一種情形了！在過去，成年後的監護人是由法院選定，《民法》也清楚規定了法院在幫受監護宣告人挑選監護人時，應該要依照受監護宣告者的最佳利益，並參考受監護宣告人的意見，在配偶、四親等內的親屬（比如父母、兄弟姊妹等）、最近一年有同居事實的其他親屬、主管機關、社會福利機構或其他適當的人選中選出一個人或數人，來為他日後的生活作打算。

不過，法院再怎麼厲害，還是有其未竟之處。因此，我國也在 2019 年時通過了成年的「意定監護」制度，讓尚未失能、失智的人可以預先以契約的方式，表示當自己失去判斷能力時，要由誰來擔任自己的監護人，落實了上面所說的想法，更符合本人的利益，也減輕了許多法院的負擔跟成本。但比較特別的是，當事人在心智健全時跟對方訂定的選定監護人契約，必須經過「公證」才會生效，因為這攸關當事人的重大權益，必須十分謹慎為之。

監護人與法定代理人

「法定代理人」是為了協助「未成年人及限制行為能力人」在還沒有《民法》推定有的「完全意思能力」時，做出不利於他們的決定所設立的；而「監護人」則是避免規範漏洞所設計的制度，因為《民法》上認為未成年人及限制行為能力人的法定代理人是父母，因此為了避免父母無法好好替小孩做決定，所以設置了「監護人制度」來補漏。

意定監護受任人

意指沒有失能、失智的人，可以預先以契約方式和受任人約定，當自己發生符合民法規定意思表示能力受限時，由法官指定此受任人成為自己的監護人。

親權跟監護權的差異

與上面的區別類似，父母行使的是「親權」，在離婚時父母所爭奪的會是「親權」，而只有在父母不能行使的時候，才會有可能由他人來行使「監護權」。

原來有些特殊的人在
許多法律行爲都需要
法定代理人協助啊！

16 我可以換爸爸媽媽嗎？

白鶴報恩

山腳下有一對老夫婦相依為命。有一天老爺爺在砍柴的半路上，救了一隻誤入陷阱的白鶴，還幫牠包紮。
唉呀！你下次可要小心一點啊！

幾天後，山裡下起連日的暴風雪，老夫婦聽見奇怪的敲門聲，開門一看……

我叫小雪，我在山裡迷路了，請問可以讓我借住一晚嗎？

不知道暴風雪何時才會停，你就先安心住在我們家吧！
是啊，我們都很喜歡你，如果你是我們的女兒就好了！
不如，我就留下來當你們的女兒吧！

老夫婦經濟狀況本來就不好，現在又多了一個人吃飯，很快的家裡就沒有錢買食物了。

天氣這麼糟，也沒辦法上山砍柴去賣，這該怎麼辦啊？
我來織布去賣。不過我織布時，千萬不能來偷看喔！

幸好有小雪織的布，我們有錢買食物了！
小雪是如何織出這麼好的布啊！

老夫婦決定偷偷打開門偷看小雪，沒想到，他們看到的是……

我是老爺爺之前救的白鶴，為了報恩而來。既然被你們發現，我就必須離開了。謝謝你們的照顧。

可以想當誰的小孩，就當誰的小孩嗎？

白鶴為了報恩而化為人形，並捏造「踏雪尋親、迷路」的故事，最後更認了老夫婦當父母，但是，現實生活中，可以想當誰的女兒，就當誰的女兒嗎？如果白鶴的父母仍健在，老夫婦還可以收養她當女兒嗎？

答案是：有可能喔！依據法律規定，如果符合特定條件下，法律允許沒有「直系血緣關係」的兩個人可以透過「收養」，在法律上產生親子關係。「收養」制度可以讓原生父母無力撫養的孩子，能在收養人或是另一個家庭中長大，同時也讓想要孩子的人有機會當父母，聽起來很不錯吧？

不過必須特別釐清的是，就算原生父母成功將子女出養（即讓孩子被其他人收養），子女與原生父母在法律上的親子關係仍然不會被消滅，只是在法律上中止了子女與原生父母之間的權利義務喔！簡單來說，雖然原生父母在名義上還是子女的父母，但原生父母不再對子女享有監護權、繼承權、撫養權等權利，當然也沒有扶養子女的義務；相對的，收養者則因為「收養」，因而承受以上的權利義務，在法律上就像是親生父母一樣。

同樣的，就算被別人收養，在法律上跟以前的「親戚」仍會有血親或姻親關係，因此仍需遵守法律「旁系血親在六親等以內者，不得結婚」的規範，不能和原生家庭的姑姑或叔叔、堂哥、堂姐等結婚，只是彼此間沒有權利義務關係而已，像是不能繼承爺爺的遺產，也不需要扶養原來的兄弟姐妹。

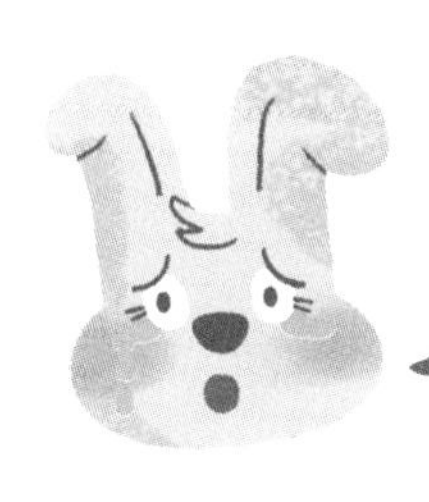

我可以選擇任何人當我父母嗎？

在法律規範中，收養並不是子女單方面說了算，想要換父母就可以換。因為收養牽涉的層面很多，因此立法者對於收養的規定可是非常謹慎的。如果子女想要脫離原生父母、接受其他人的收養，因為涉及原生父母對子女享有的權利義務，原則上必須要得到「原生父母的同意」，即使子女已經成年了也一樣，除非原生父母沒有對子女盡到保護、教養的義務，或者是已經去世了，才可以不用經過他們的同意喔！

此外，收養並不會因為子女、原生父母及收養者都同意就自動生效，收養者還必須向「法院」提出收養的書面聲請，經過法院的認可才行！若被收養者是未成年人時，法院會依據「養子女的最佳利益」判斷是否要認可收養；被收養者如果是成年人時，法院也會判斷是否存在「不予認可收養的法定事由」，才會做出適合的判決。

故事中的白鶴幻化成人，說要選別人當父母，如果是發生在現代，除了向跟法院聲請外，也需要看看他們的彼此間的年齡。因為法律上對於收養人與被收養人的「年齡」與對象有特別規範與限制。立法者認為，原則上收養者至少要比被收養者大 20 歲，所以 30 歲的人不能去收養超過 10 歲的小孩。不過若是夫妻一起收養，只要其中一方比被收養者大 20 歲、另一方只需要比被收養者大 16 歲就可以了，也就是說，一對 30 歲及 40 歲的夫妻，可以共同收養 14 歲的小孩。

基於倫理輩分上的考量，《民法》原則上也禁止我們收養直系血親和直系姻親，例如奶奶不能收養孫女為養女，否則親屬關係會從「祖孫」變成「母女」；也不可以收養家族中的平輩為子女，例如表哥不可以收養表弟為養子。

如果透過法律程序
收養後，可以反悔嗎？

如果養父母後悔收養了子女，或是養子、養女突然不想被養父母收養，可以喊「卡」嗎？法律對於終止收養關係，只要養父母和養子女雙方達成共識就可以了喔！不過假如養子女尚未成年，立法者會認為養子女還沒成熟到足以判斷自己的行為會產生什麼樣的法律意義，因此必須由收養關係終止之後的法定代理人替他們表達要「終止收養」的意思，或者是經過法定代理人同意終止。此外，想要終止收養關係，也必須正式向法院聲請「終止收養」，讓法院提供另一層把關，根據未成年子女的最佳利益決定是不是要認可該聲請。

如果一方虐待遺棄另一方，或有一些特殊情形時，像是養父母不幸死亡，雙方沒辦法達成終止收養的「共識」，法院也可以依據另一方或主管機關的請求宣告終止收養關係。在養子女與養父母的收養關係終止後，養子女和「原生父母」間法律上的權利義務關係就會自動恢復，是不是很特別呢？

Q 如果爸爸再婚，爸爸的再婚對象就是我的媽媽嗎？

A 父母的再婚時，若其中一方帶著孩子進入下一段婚姻，孩子與父母再婚的對象之間，會因為這段婚姻而產生「姻親關係」，成為繼父母與繼子女關係。

不過，雖然再婚後，名義上成為繼父或繼母，但是法律上繼父、繼母與孩子並沒有法律上的親子關係，以及責任與義務，他們仍必須透過「繼親收養」程序，才能成為合法的養父母。

當父母的再婚的對象透過「繼親收養」，收養了對方的孩子，法律上就會把繼父母與繼子女關係及權利義務視為直系血親的關係。

此外，針對「繼親收養」，法律也例外放寬年齡上的限制，收養人只需要比被收養人大 16 歲即可，而且，不管孩子是跟著爸爸或媽媽生活，他與再婚的原生父母間的權利義務關係不會受到影響。

不過，法律也十分重視人情。父母分開或是父母再婚對孩子而言可能是一大衝擊，更不用說讓「另一個人成為自己的爸爸或媽媽」，因此法院在裁定「繼親收養」之前，除了原則上必須得到未與孩子同住的生父或生母同意外，也會審慎評估出養的必要性、孩子的意願等。畢竟繼親收養後所需面臨的生活課題，可是比法律更複雜得多呢！

覺得同學的父母比較好，
想換爸爸媽媽，在法律上
一點也不容易啊！

直系血親

指從上繼受血緣及自己往下延伸血緣的人，例如奶奶—爸爸—孫女就是直系血統。

直系姻親

姻親是指血親的配偶、配偶的血親及配偶的血親的配偶，直系姻親則是指具有姻親關係，但輩分不同的人。

繼親收養

繼親收養的法律規範大致上與一般收養相同，只是部分規定相對鬆綁。假設父母離異後父親再婚，繼母欲收養繼子女，同樣必須得到原生父母的同意向法院提出聲請，收養成立後，子女與原生母親之間雖然仍有直系血親的關係、仍是母女，但彼此不再互負法律上的權利義務，而是改與繼母之間產生法律上的權利義務關係。

17 公主的婚姻，國王說了算？

長靴貓的故事

從前有一位磨坊工匠給兒子留下三樣東西作為遺產，他們決定按照年紀分配遺產。
怎麼辦？我只得到一隻貓。
老大
老三
老二

別擔心！給我一雙靴子跟一個大袋子，我會給你好生活！

老三花了很多力氣，終於找到貓要的東西；貓則補捉獵物後，去拜訪王國。

這是我的主人卡拉巴侯爵委託我奉獻給您的。

某日，貓得知國王會帶著女兒到河邊玩。
等一下國王會帶著他女兒到河邊野餐，你快到河裡洗澡。

救命啊！救命啊！
卡拉巴侯爵快要淹死啦！

國王的侍衛救了老三後，邀請他一起坐車。貓則先離開去打理一些事情……
國王您好，我們是卡拉巴侯爵的農夫。

要農夫假裝屬於卡拉巴侯爵後，貓來到妖怪的城堡，並打敗了妖怪……

歡迎來到卡拉巴侯爵的城堡，請進來參觀。
侯爵，只要你點頭，我女兒就是你的妻子了。

我願意。

這場婚禮，沒有滿足結婚的要件！

在臺灣，如果有人想要結婚，並不是像故事中的公主跟卡拉巴侯爵一樣，私下辦一辦婚禮，就成為法律上的夫妻了。依據法律規範，「結婚」需要滿足法律對於婚姻的要求，包括一些形式要件跟實體要件。

在形式要件部分，我國是採取「登記婚」的方式，也就是必須要以書面為之，結婚的雙方當事人需要準備個人身份證件，以及具有 2 名以上證人簽名的結婚證書，去向戶政機關登記，才算具有法律上的合法婚姻關係。因此，公主和卡拉巴侯爵這場婚禮，沒有滿足我國結婚的要件！

我是爸爸，爲什麼不能決定
女兒要嫁給誰？

雖然國王擅自跟卡拉巴侯爵講說要嫁女兒，並說出「只要你點頭，我女兒就是你老婆！」這種話其實是不適當的！因為國王的女兒不一定覺得跟卡拉巴侯爵結婚合乎自己的想法。臺灣的法律有規範：結婚的雙方必須要「合意」。白話一點來說就是，兩個人要結婚，必須合乎自己的心意，彼此都要有想跟對方結婚的意思，不能是「強迫」的，也不能是「威脅」、「假結

婚」，更不能依據「父母之命，媒妁之言」就輕易決定兩個人的婚姻。

而且，就算公主覺得卡拉巴侯爵這個對象還不錯，但她可能那時候還不想結婚，所以公主是否要結婚，什麼時候結婚，還是應該由她自己決定！而且，就現今的法律來說，卡拉巴侯爵和國王的女兒在到戶政機關登記之前，在法律上，都還不能算是已經締結正式的婚姻關係。

而法律上規範的實質要件的部分，還需要滿足以下條件：

第一，雙方都必須達法定結婚年齡。這是考量到人類心智上的健全發展以及優生學的考量所設立的。當初《民法》典在訂定親屬編時，立法者考慮到「早婚」可能帶來的影響，包括女性太早生育將導致婦科疾病容易發生，也容易導致胎兒發育不健全或是營養不良等情形，因此法律規定男生結婚需滿 18 歲，女生則要滿 16 歲才能結婚。

而且為了避免「家庭倫常」被破壞以及「優生學」的考量，因此也對婚姻設下親等的限制。比如，不能跟直系血親或直系姻親結婚，像是爸爸、爺爺、伯母都不能是結婚的對象，而就算伯伯跟伯母離婚，也不能改變這件事；六親等的旁系血親也不行，比如堂兄弟姊妹；五親等內的旁系姻親，輩分不相同的話也不能結婚。

第二，不能有重婚的情況發生。「重婚」的定義必須是前婚與後婚在法律上都有效。不過這種情況在改採「登記婚」的現代已經很難發生，因為既然要經過戶政機關的審查、登記，就不太可能發生前婚有效、後婚卻還可以進行登記的情況。

難道已經登記結婚的話，就不能說這個婚姻無效或撤銷嗎？

一般而言，婚姻除了涉及雙方當事人的幸福外，也涉及到子女的利益，因此除了上述「達法定年齡」的要件外，必須得要到沒有滿足婚姻的「核心要件」時，婚姻才會被認為無效。其他情形，法律則認為是屬於可以補救的情況，因此透過「撤銷」制度，讓當事人可以再思索一下，這個瑕疵有沒有嚴重到需要消滅這個婚姻關係。

像是如果未達法定年齡，當事人或法定代理人都可以去請求撤銷婚姻，不過要是之後已經達法定年齡或是已經懷胎的話，則不可以再請求撤銷。另外，如果是在無意識或精神錯亂時所為，也可以在恢復正常狀態後的6個月內請求撤銷婚姻因此，像是常在電視劇或是電影中出現主角因為喝醉而迷迷糊糊結婚，等到隔天一早上起來才發現自己結婚了，這種「由於喝醉，無意識或完全忘記自己跟別人登記的婚姻」是可以請求撤銷的。還有，若是被詐欺或被脅迫，也可以在發現被騙或是不再被脅迫後的6個月內，向法院請求撤銷婚姻。

一般而言，「撤銷」在法律上的效力，會是溯及既往，讓一切回復到沒有發生過一樣；不過考量到身分關係的穩定性，並沒有辦法像沒有發生過一樣，也難以回復原狀，因此婚姻的撤銷只向將來發生效力。

在這個故事中，如果公主日後發現自己是被卡拉巴侯爵「詐騙」，那些財產根本不屬於他，她是可以向法院請求撤銷的，不過得在發現被騙後的6

個月內就向法院請求撤銷，如果這個期間內不去向法院請求撤銷，法律上就會當作公主沒有不願意嫁給卡拉巴侯爵，她也不可以再以這個為撤銷事由向法院請求撤銷婚姻。

不過其實關於結婚這件事，真正的考驗可是在他們成功結婚後才開始。法律除了規範哪些條件下可以締結婚姻關係，也規範了結婚的雙方必須對彼此負有義務，這些義務包括扶養義務、同居義務、對於家庭費用原則上要一起負擔，針對家庭費用所產生的債務，也要一起負擔。生活多了這些對另一個人的義務，也勢必會產生更多摩擦，不過生活中多了一個人能互相扶持，似乎也是個好選項吧！

Q 公主可以選擇跟另一個公主結婚嗎？

A 隨著世代改變，人權意識抬頭，許多國家對於同性戀的態度都保持開放的態度，但並不是所有國家的法律都承認同性婚姻合法，根據內政部戶政司公布的資料，截至 2022 年 6 月為止，目前全球已經有 31 個國家已經通過相關立法，也有許多國家仍禁止同性婚姻。

在臺灣，大法官在釋字第 748 號解釋中表示，《民法》禁止同性別的兩個人結婚違反了憲法所保障人民的婚姻自由以及平等權。因為婚姻自由的內涵包含「是否結婚」以及「與何人結婚」的自由，而《民法》限制了人民這項權利，是立法上的重大瑕疵。

2017 年大法官做出解釋後，也引發了不少討論。有些人主張「異性戀跟同性戀不一樣」，要求同性戀者的婚姻必須必須要接受嚴格的審查；也有些人以「是否可生育」的理由主張同性婚姻不應該合法。

由於同性戀族群是社會上「孤立隔絕的少數」而長期受到歧視，難以期待能用一般的民主程序扭轉這樣的弱勢，不過無論是什麼樣的身分，都應該受到法律的保護，而且，生育並不是婚姻的必要條件，同性二人的結合與客觀不能生育的異性二人並沒有不同，因此並不能作為正當化同性戀不能結婚的理由。

在此之後，國家也透過《司法院釋字第七四八號解釋施行法》去落實《中華民國憲法》婚姻自由之平等保護，讓同性婚姻之關係獲法律承認。此外，針對《民法》中原針對男女結婚年齡的不一致的規範也因應國際潮流，統一將結婚年齡調至 18 歲。

溯及既往

原則上，新的法律只會向後施行，這是為了避免對法安定性產生影響，如果過去的人根據過去的法律只會被罰錢，根據現在的法律卻因此要坐牢，這時候如果讓新法可以回溯適用，也就是「溯及既往」，人民就無法信賴當下的法律。

施行法

施行法在我國出現的原因，主要是因為我國無法透過簽署、批准、接受等程序加入人權公約，因此我國則透過「施行法」的方式將包括《公民與政治權利國際公約及經濟社會文化權利國際公約施行法》、《兒童權利公約施行法》、《消除對婦女一切形式歧視公約施行法》及《身心障礙者權利公約施行法》的人權公約納入我國規範體系，以這種方式要求國家，即使我們並非公約締約國，也仍然必須要遵守公約的要求。然而，在 2018 年公投結果決定以專法保護同性婚姻後，立法者就如何落實釋字第 748 號解釋去保障同性間的婚姻，也決定要以施行法處理。

原來「結婚」在法律上
代表的意義很大呢！

18 配偶去世，我得養他爸媽？

雷公與雷母

傳說中，只要天空傳來轟隆轟隆響的雷聲，那就是雷公在四處巡邏，找尋有沒有人做壞事。

任何做壞事的人都躲不過我這雙眼睛……

遙遠的村莊裡，有一位獨自照顧盲人婆婆的媳婦五娘。

趁現在雨小一些，趕快去田裡摘些青菜回家……

五娘啊，路上小心喔！

鄰居對五娘的孝心都稱讚有加！

五娘真是好媳婦啊，用心照顧她的婆婆。
就是啊！就算丈夫過世，還是一樣孝順呢！

婆婆，小心前面的石頭，走慢一點喔！

然而好景不常，颱風把田裡的作物都毀了，五娘家裡快要沒有食物了。
唉，家裡只剩下一點粥跟菜，得先讓婆婆吃飽。
米

娘，吃飯了！您先吃，我把廚房整理好再吃。
五娘，你也要一起吃啊！

五娘，你是不是都把食物留給我了？這碗飯給你！
娘，我不餓，你吃就好。
咕嚕
咕嚕

居然在欺負老人家，太可惡了！

沒想到，雷公錯怪孝順的五娘了。玉皇大帝因此要五娘成為電母，確保在雷公劈人前先用閃電照亮大地，看清楚陸地上的情況才降雷。這是為什麼總是會在閃電過後聽見雷聲的由來。

婆媳關係，到底是什麼關係？

五娘與丈夫因為結婚而成為夫妻，在法律上互為「配偶」，結婚之後五娘便和丈夫的媽媽住在一起，並稱她為婆婆，五娘則是她的媳婦。我們的生活周遭有許多親戚，有些親戚和我們有血緣關係，例如爺爺奶奶、爸媽或兄弟姊妹，法律上叫做「血親」，有些和我們並沒有血緣關係，例如姨丈、嬸嬸，還有故事中的五娘及他的婆婆。婆婆跟媳婦之間在法律上，屬於「姻親關係」。也就是說，五娘跟婆婆之間是基於五娘與丈夫的「婚姻」才產生了親屬關係。這種原本在法律上沒有關係的兩個人，因為某段婚姻而有了親屬關係，在《民法》規範中目前有三種姻親關係：

1. 血親的配偶
2. 配偶的血親
3. 配偶的血親的配偶

所謂的「血親」包含「直系血親」以及「旁系血親」，都與你有血緣關係，直系血親指的是從上繼受血緣及自己往下延伸血緣的人，例如奶奶、爸爸、兒子、孫女，都是直系血親關係；而旁系血親指的與自己從上繼受同樣血緣的人，例如兄弟姊妹、表兄弟姊妹、堂兄弟姐妹關係都屬於旁系血親。

假設你的兄弟姊妹結婚了，他的結婚對象就會是「血親的配偶」，所以與你屬於「姻親」關係。相對的，對媳婦而言，婆婆是丈夫的母親，則是第二種「配偶的血親」，因此，婆媳之間也屬於姻親關係。

「配偶的血親的配偶」，這一串聽起來像是咒語或繞口令的文字，又是指誰呢？最典型的例子就是「妯娌」和「連襟」，指的就是丈夫兄弟姊妹的結婚對象是自己的「配偶的血親的配偶」，所以和對方之間會產生姻親關係；也就是說，你爸爸的兄弟姊妹的結婚對象是你媽媽的「配偶的血親的配偶」，也是屬於姻親關係。

是姻親又怎樣，
法律應該不會管我們吧？

「姻親」既然使得本來沒有血緣關係的人之間產生親屬關係，因此具有姻親關係的人當然也我受到《民法》規定的限制。舉例來說，基於傳統倫理的考量，立法者規定直系姻親和五等親以內、輩分不同的旁系姻親不能結婚；原則上也禁止收養直系姻親、五親等以內、平輩的旁系姻親為養子女，避免產生關係上的混亂。此外，姻親關係象徵著多了一層家人的身分，所以在一些特殊情形下也會特別規範，像是公務人員執行職務時，會因為有利益衝突而需要迴避。

媳婦照顧婆婆是
天經地義的事嗎？

五娘在丈夫死後盡心盡力照顧婆婆，從傳統社會的價值觀看來似乎理所當然，難道法律上也規定媳婦必須照顧婆婆嗎？

其實在一般情況下，法律不會無緣無故要求兩個具有親屬關係的其中一方必須扶養另一方。只有在其中一方窮到「無法維持生活」，而且「不具備謀生能力」的時候，法律才會出手介入。

立法者認為，如果當夫妻中的任一方與對方的父母住在一起，在岳父母或是公婆處於上述無法維持生活，且沒有謀生能力的狀態時，就應該要扶養他們。

不過要是媳婦與公公婆婆或是女婿與岳父母沒有住在一起，則不一定要扶養他們。此時扶養責任會依照立法者列出的順序承擔，像是他們的直系血親、兄弟姊妹等，而從法定順序來看，女婿及媳婦並不是應該優先負起扶養責任的人。

故事中，五娘的婆婆行動不便且沒有存款，加上又是盲人，屬於「無法維持生活」而且「不具備謀生能力」的人，而且五娘和婆婆住在一起，因此才會產生扶養婆婆的義務。

丈夫去世後，我還有
扶養婆婆的義務嗎？

五娘會和婆婆在法律上產生姻親關係是因為與丈夫結婚，那麼丈夫去世後，五娘還是否需要盡到「媳婦的責任與義務」，這就牽涉到這段姻親關係會不會隨著五娘丈夫死亡而消失而定。立法者認為，既然姻親關係是因為「某一段婚姻」而產生，當然也會隨著「婚姻不見」而消失！

舉例來說，假如夫妻「離婚」或是「婚姻效力有問題而被撤銷」，那麼原先基於這段婚姻所產生的姻親關係都會連帶消失；不過假如是夫妻其中一方死亡，那麼姻親關係並不會消失，也就是說，雖然五娘的丈夫去世了，但五娘跟婆婆在法律上仍然有親屬關係喔！

這樣看起來，即使配偶去世了，還是必須扶養配偶的父母囉？其實是「不一定」。如同前面所說的，扶養義務的前提是配偶的父母貧窮到無法生存下去，而且沒辦法自己工作賺錢，並且也要是原本就和配偶的父母住在一起、不存在其他關係更親密、負扶養義務順位較前面的人時，才會需要負起扶養配偶父母的責任。此外，立法者考量到特殊情形，規定假如窮到連養活自己都有困難，或者是對方父母有虐待自己時，也可以例外，不必扶養他們。

不過也有學者批評這種制度從一開始就錯了，假如夫妻一方死亡，另一方再婚後，原本的姻親關係繼續存在的話，可能會成為困擾，再婚的一方當然可以與昔日的公婆、岳父母保持聯繫、保有情誼，但不應該用法律硬性規定，而是要讓人民可以選擇去消滅姻親關係比較合理，你覺得該怎麼選擇呢？

Q 姻親關係在法律上只有壞處，沒有好處嗎？

A 不一定喔！

當兩個人共組家庭，也讓兩人原屬的家族因為他們，而有了更多的連結，除了拓展人際關係外，可能也常聽到媳婦與公婆相處有問題、親戚相處不和睦等。不過，姻親的關係建立，並非帶來的都是麻煩及不開心，也是有不少相處和樂融融的例子！

在法律上，也有一些涉及親屬，在判定刑責上有「優待」的狀況。因為「姻親關係」賦予了本來沒有血緣關係的人如「家人」般的地位，考量到家人之間的親密程度以及深厚情感，法律上會給予姻親關係者一些「優待」，舉例來說，《刑法》禁止幫助依法逮捕、拘禁的人脫逃，也禁止協助藏匿犯人、湮滅他人犯罪證據，不過若幫助的對象與自己之間是三親等以內的姻親關係，立法者考慮到家人之間的關係，人難免會袒護家人，也算是情有可原，因此提供了減刑的可能。看完之後，會不會覺得法律更貼近了人民一點呢？

親屬關係

親屬關係可以分為三種，分別是因有血統聯繫所產生的「血親關係」、因婚姻發生的「姻親關係」與夫妻之間的「配偶關係」。血親關係又可以分為出自同一祖先的「天然血親」，以及雖非源自同一祖先但法律上擬制具有相同血統的「法定血親」。

幾等親的算法

1. 直系血親：以一世代為一親等，父母子女間為一親等，祖孫間為二親等。
2. 旁系血親：分別往上算至最近一個共同的直系血親，再將親等相加，例如我與叔叔共同的直系血親為爺爺（奶奶），我與爺爺（奶奶）間為二親等，叔叔與爺爺（奶奶）間為一親等，因此我與叔叔間為旁系血親三親等（1+2=3）。
3. 姻親：無論是哪一種姻親關係，都是以「配偶」的親等為準，例如我與嬸嬸的親等，就要以我與叔叔（嬸嬸的配偶）的親等為主，因此為直系姻親三親等。若是我與婆婆的親等，則是以丈夫（我的配偶）與婆婆的親等為主，因此為直系姻親一親等。

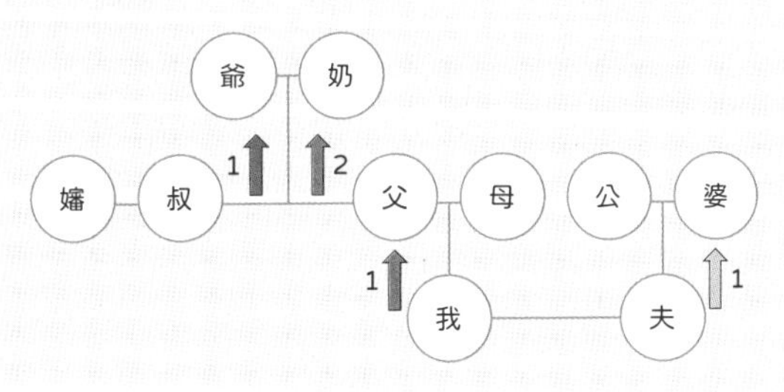

19 說謊會發生什麼後果？

放羊的孩子

有個男孩在農場工作，每天一大早就得將羊群帶到山坡上吃草、活動，再帶回農場。

男孩覺得好無聊啊，每天都做一樣的工作。他突發奇想，想捉弄大家！

狼來了！
救命啊！
糟了！
有狼來攻擊羊群了，
大家快上山去幫忙！

等大家好不容易趕到山坡上時，卻發現根本沒有狼，只看到男孩坐在樹下大笑。
你們上當了！
哈，真有趣啊！

昨天欺騙大家真好玩，
今天再來玩一次！
狼來了！
救命啊！

大夥兒又急急忙忙跑上山，但迎接他們的仍是捧腹大笑的男孩。
沒錯！你欺騙了我們！
你太可惡了！
這一點都不好笑。

沒想到，幾天後，狼真的出現了，並開始攻擊羊群。男孩拼命向山下大喊：
救命啊！救命啊！
狼真的來了！

可惡！他一定又是要捉弄我們！
沒錯，一定是假的！不要理他！
結果，羊群死傷慘重……

男孩也因此受到雇主的責罰。
嗚……我再也不敢了！…

小孩子可以去工作嗎？

讀完故事，是不是覺得：那個放羊的男孩故意捉弄別人，這下子自食惡果了，付出了應有的代價。只是，你是不是也會好奇：為什麼這個小男孩這麼小，不是跟你一樣在學校上課，而是要去工作賺錢呢？

以前的年代，在一些經濟狀況不好的家庭裡，就算是年紀小的孩子也需要出門工作，協助分擔家計，可能是在店鋪當學徒，在工作之餘，也同時學習技術；也有些是在從事農務或搬運工作。直到現在，仍有不少國家有「童工」存在，也衍生了不少社會問題。

由於年紀小的人，通常還沒有足夠的能力可以理解法律的意義與效果，甚至無法正確做出判斷，為了解決一些法律上可能發生的問題，在《民法》中，將人依據年齡劃分為「完全行為能力人」、「限制行為能力人」以及「無行為能力人」三個類型。

不同類型的人所做的法律行為，效力也會不同，原則上，法律認定滿 18 歲即算是成年，才是「完全行為能力人」，可以自由的和其他人訂定契約，如果沒有其他瑕疵，這個契約就是有效的。（雖然現行的《民法》規定年滿 20 歲才算是成年，不過，目前已修正通過，自 2023 年 1 月 1 日起，年滿 18 歲即為成年。）

我可以跟農場主人自行簽訂工作契約嗎？

針對 7 歲以上、18 歲以下的「限制行為能力人」，由於他們的思慮可能還不夠成熟、不清楚契約會對自己產生何種影響的，因此規定限制行為能力人訂定契約時，必須要先得到法定代理人的允許，假如訂約前沒有得到法定代理人的允許，事後也沒有經過法定代理人的承認，此契約就不會生效，好讓年齡較長、處世經驗較為豐富的法定代理人可以替限制行為能力人把關。

未滿 7 歲則屬於「無行為能力人」，在法律規定上會更嚴格，「無行為能力人」必須透過法定代理人來簽契約，不能自己和別人簽約，否則契約會是無效的。因此，故事中那位放羊的孩子若已經滿 7 歲，要到農場上班，需得到父母的允許，或是訂完契約後經過父母的承認，與農場主人簽訂的「僱傭契約」才算有效；若男孩還沒滿 7 歲，就算是農場主人認為男孩有天賦，想高薪聘請他，也得先過他父母那一關，由男孩的父母代替他跟農場主人訂約喔！

不過，依據我國的《勞動基準法》中規範，雇主原則上不得僱用未滿 15 歲的人從事工作，除非受雇者已經國中畢業或經主管關認定工作性質及環境不會影響到他的身心健康，而且法律對他的工作時間是有限制的。

如果男孩與農場主人之間訂定的僱傭契約是有效的，他被農場主人聘任為員工，但卻因為自己貪玩或是愛惡作劇，導致羊隻被狼吃掉了，造成農場主人的損失，農場主人能不能開除他呢？

答案是可以的！不過得先看雙方的僱傭契約是否有訂定期限，若約定工作是從 2022 年 6 月 1 日做到 2023 年 5 月 31 日為止，那麼農場主人和男孩的僱傭關係就會在期限屆滿時消滅，也就是到 5 月 31 日後，男孩就不是農場的員工了；相反的，若沒有先訂契約期限的話，法院會以能不能依據工作的性質或目的推斷出期限為何，否則基本上雙方都可以「隨時」終止這個僱傭契約，員工當然也可以主動離職。

不過考量到特殊情況，《民法》中規定即使是有訂期限的僱傭契約，在遇到「重大事由」時，雙方也可以例外於期限屆滿前就終止契約喔！例如法院就曾表示，若雙方約定受僱人應擔任守衛，且不得兼任其他會影響守衛工作的職務，但受僱人卻違反這個約定時，僱用人即可提前終止契約。

為了要保障工作權，加強聘僱關係並促進經濟發展，《勞動基準法》規定了最低標準的勞動條件，包含工時、工資、加班費、休假、職業災害補償、退休金等等，讓適用勞動基準法的雇主與勞工所訂定的勞動條件不能低於此標準，其權益可獲得最基本的保障。

除此之外，《勞動基準法》對於「雇主開除勞工」的行為也有更細緻的規定，首先依據開除的理由是否基於雇主的經營情況而產生，區分為「資遣」與「解僱」。前者又稱「經濟解僱」，是指雇主因應營業情況而需要調整人事，具體的法定事由如店家因為疫情而須暫時歇業等，由於錯不在勞工，所以雇主應該要遵循預告的期間、給付資遣費及提供謀職假。

後者則稱為「懲戒解僱」，是指勞工有不法、不當行為時，雇主可以進行解僱，因為錯在勞工，雇主不用事先預告就可以終止勞動契約，也不用給付資遣費喔！因此放羊的孩子屢次說謊而導致失去農夫們的信賴，最後只能眼睜睜的看著狼被羊吃掉，加上他年齡還小，若遇到此種緊急情況也無法保護羊群，因此可能會被認為有「勞工對於所擔任之工作確不能勝任」的情形，所以雇主可以對他進行「資遣」。

Q 員工犯錯，老闆也需要受罰嗎？

A 僱用人有「在職務上監督受僱人」的義務，因此，假如受僱人因為執行職務、從事工作的關係，而不法侵害了別人的權利，而僱用人沒有盡到他的監督義務，原則上僱用人就也必須對受害人負起賠償責任喔！

2013 年，在淡水發生了一件駭人聽聞的新聞案件——一間咖啡店發生命案，咖啡店的店長於營業時間在熟客的飲料中下藥，並在客人昏倒後，將兩人害死，事後除了犯案的店長以外，家屬也有向咖啡店老闆與其他股東進行求償。或許你會有疑問：為什麼啊？明明不關他們的事情啊？

首先我們要留意的是咖啡店與店長之間其實存在著僱傭關係，咖啡店老闆是僱用人，店長是受僱人。立法者認為僱用人利用受僱人去擴張自身的活動範圍並享有利益，因此特別賦予了僱用人「在職務上監督受僱人」的義務，因此，假如受僱人因為執行職務的關係而不法侵害了別人的權利，而僱用人沒有盡到他的監督義務，原則上僱用人就也必須對受害人負起賠償責任喔！

不過要注意的是，重點在於受僱人做的事情和職務有沒有關係，如果今天受僱人在做的事情已經離他的職務很遠，甚至毫無關係，那麼老闆當然就不需要負責囉。

童工

在臺灣，童工專指 15 歲以上未滿 16 歲的受僱工作者，童工仍是合法的勞工。但考量到這個階段的青少年身心發展需要受到保護，法規對於童工會有特別規範，例如每日的工作時間不能超過 8 小時、週末不能工作、不能在晚上 8 點至早上 6 點這段期間工作等。

僱傭契約

當事人約定，一方在特定或不特定的期限內為他方提供勞務，他方會給付報酬的契約，只要雙方達成共識，即使是口頭約定也可以成立契約，但為了避免發生勞務糾紛，還是以書面訂立具體的權利義務為佳。

因爲家境貧窮的兒童被迫
去工作，而無法受教育，
也是一個大問題呢！

20 想獨占遺產，可以嗎？

三兄弟的故事

從前，有個老人捨不得將房子賣掉，但他不知道該把房子留給哪個兒子才好。

於是，他叫三個兒子出門學藝，一年後，看誰的本事高，就把房子給誰。

我要當剃頭師。
我想當劍客！

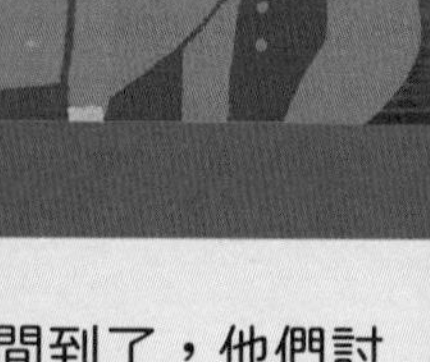

我決定當鐵匠！

房子一定
是我的！

很快的，一年的時間到了，他們討論著該怎麼比劃功夫。忽然，有一隻兔子跳過來，老二立刻大展身手。

老二還幫兔子剃了鬍子，
真不錯！

再來，換老大為正在行進中的馬匹，
更換了四個嶄新的馬蹄鐵。
看我的厲害！

老大表現也很棒！

終於輪到我來表演給大家看了！

大雨中揮舞起劍，居然身上一點都沒
有濕。老三，未來房子就留給你了！

不過，三兄弟的感情很好，擁有房子的老三邀請
哥哥們一起住在爸爸的房子裡，各自靠著技藝賺
了很多錢……

遺囑威力無限大？

在這個故事中，老父親想透過出考題給三個兒子的方式來處理遺產分配，決定將房子留給哪一個兒子。遺產指的是死去的親人留給後代的財富，可能是未花完的錢或生前擁有的財產。一般來說，如果有一些特別的原因，不想依據法律規定的方式分配遺產給後代，就可以跟故事中的老父親一樣，在生前透過「遺囑」的方式分配。

由於遺囑帶來的效力非常大，因此對於預立遺囑的方式，法律有其規定的形式。首先，要預立遺囑的人必須要滿 16 歲。再者，如果是打算自己寫遺囑的話，遺囑是不能先以電腦打字，再到印下來簽名，遺囑上的內容必須是「親自手寫、親自簽名」完成。也可以選擇爭議性最低的「公證遺囑」──指定 2 個以上的見證人，並且在公證人面前講出遺囑的內容，最後由公證人、遺囑人、見證人一起在文件上簽名。此外，也有另一種形式是「密封遺囑」，這種情形是遺囑人不想被別人知道遺囑的內容，因此在書寫過後就先密封好，並且要在封縫處簽名，連同兩個見證人去公證。

另外考量到想要立遺囑的人可能有不便書寫的情形，還有「口授遺囑」跟「代筆遺囑」兩種方式。這兩種方式也都需要見證人陪同。根據本人口述，詳實作成筆記，註記年、月、日，由見證人簽名。

爸爸說要全部留給小弟，難道
我就分不到任何遺產了嗎？

如果沒有特別約定或是預立遺囑，法律對於誰有資格可以分配這些財產，且應該如何分配也有相關規定。在沒有遺囑的前提下，每個人按照法律所分配的遺產比例，稱之為「應繼分」。以故事的三兄弟來說，他們每個人分到的遺產就是各 1/3，是以均分的比例，把遺產分到三個兄弟手中。

不過，可別以為遺囑上沒有寫到的親屬就完全分不到遺產喔！在我國法律上，針對遺產上有「特留分」的規範。特留分的意義，就在於保護被繼承人因為偏愛把遺產全部留給某個人，因此規定最低的可以繼承的比例，以保障繼承人，所以像是年邁的老父親與三兄弟的這種情形，即使老父親立下遺囑說要把遺產都留給老三，老大跟老二也不會一無所有。

根據我國法律對於特留分的計算，立法者會依據他們認定親屬之間關係的親疏遠近，而有不同的保留比例，像是兒女、配偶、父母就可以分到原本應繼分的 1/2；兄弟姊妹跟祖父母則是原本應繼分的 1/3。因此，在故事中，同樣都是直系血親親屬的三兄弟而言，就算老父親說要把遺產全部都留給老三，但是老大跟老二也仍然可以分得原本應繼分（1/3 財產）的 1/2，也就是他們會分別繼承全部遺產的 1/6，這就是所謂的「特留分」；所以老三沒辦法真的依照父親的遺囑拿走全部的遺產，而是分得全部的

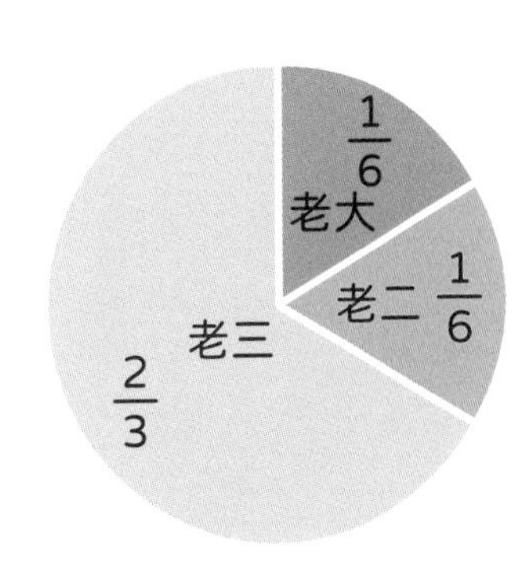

2/3。假設父親的遺產價值總額是 120 萬的話，老大跟老二仍然可以分別拿到 20 萬的遺產，老三則是可以拿到 80 萬。

遺產是大家的，
誰都不能對遺產亂來吧？

在現代，繼承人不像故事中的三兄弟一樣，需要使出渾身解數，透過學藝、表演和成就才能得到遺產。在被繼承人過世時，遺產就屬於所有繼承人的，如果超過一個繼承人，這個時候被繼承人的所有遺產是處於「公同共有」的狀態。

在「公同共有」的狀態下，公同共有人必須要得到所有繼承人的同意，才可以處分遺產。如果此時其中一個繼承人在沒有經過其他人同意的情況下，把東西賣給其他人的話，由於《民法》認為，「訂立買賣契約」跟「把東西交給對方」是兩件事，不會因為有買賣契約就導致物的權利發生變動，因此像上面的情況，買賣契約並不會無效，亂賣東西的那個人還是得對買家負責，而且這份買賣契約的效力不會影響到其他共有人，不會導致其他繼承人喪失遺產的所有權，更不需要出來收拾殘局。

不過，也因為繼承人人數太多時，會造成權利行使的困難，而且不利於交易市場的活絡，因此基本上立法者會希望權利人的關係越簡單越好。所以原則上，只要大家對於「應繼分」沒有爭議，都可以簡單的透過辦理遺產分割登記解決，但如果有人對分配有意見而不願分割，這時任何一個繼承人都可以隨時去向法院提起遺產分割訴訟，請求終止公同共有關係。不過，申請分割訴訟必須是對於「全部」遺產提起訴訟，而不能針對「特定」遺產請求分割。因此，老父親死後，遺產會是三人共有，而在進行分割前，兄弟中的任何人都是不能擅自對財產做什麼事的。

並不是每一個人最後剩下來的都是財產或是未花完的錢財，也有可能留下的是債務，甚至有些可能是繼承人要花一輩子才能償還得了的債務。那麼，長輩欠下的債務，繼承人就必須要犧牲自己的人生去償還嗎？過去「父債子還」的觀念讓很多人喪失了自己的人生，一輩子只為了還債而活，立法者覺得這樣是不對的，因此在 2009 年的時候修法採取全面「限定繼承」制度，即使債務大於遺產，也只需要用有限的遺產清償就可以了。換句話説，繼承人不會因為沒有去辦理「拋棄繼承」，就得背上一輩子的債務。

面對長輩遺留的債務另一種選擇則是「拋棄繼承」。因為當選擇前者「限定繼承」制度的時候，事實上作為繼承人仍然有一些義務要履行，比如要去申報遺產清冊、進行遺產清算等，有些人為了避免麻煩，就會選擇「拋棄繼承」——不管長輩留下的是財富還是債務，全都不要。重點是，可以「拋棄繼承」的期限，是從繼承人知道繼承開始的時間點起算 3 個月，如果過了這個期限，就會自動變成「限定繼承」，因此繼承人就要把握時間，儘快去法院申報遺產清冊喔。

如果繼承人對遺產分配有意見的話，該怎麼辦？

A 現實世界裡，若繼承人對遺產有異議，上演遺產爭奪戰的話，可能得透過耗時數年的訴訟處理！

新聞常見富豪家族因為遺產分配的糾紛而鬧上法庭，造成手足或是至親感情破裂，關係矛盾，甚至不乏母子最後對簿公堂的案子。近年最有名的官司莫過於長榮集團的遺產風波了。

長榮集團的掌舵人張榮發先生在 2016 年初辭世後，引發了一場腥風血雨的爭奪遺產風波，並為後續長榮集團的經營權爭奪戰揭開序幕。雖然張榮發先生留下一份「密封遺囑」，寫道：由四子單獨繼承遺產，但有家屬認為他當時應該已經無法立遺囑了，因此主張該「密封遺囑」無效。加上法律規定的特留分，應該無法由遺囑中的指定方式辦理繼承。因此，目前仍然在法院進行訴訟中，目前是由高等法院認為事實還不明瞭而發回給地方法院，究竟結局如何，只能等待法院的調查與判決了。

繼承人

繼承人根據《民法》的規定有幾種組合：配偶、（配偶＋）直系血親卑親屬、（配偶＋）父母、（配偶＋）兄弟姊妹、（配偶＋）祖父母。也就是說，配偶無論如何都可以分配到遺產，而其他人則是有優先順位的，必須要前一個順位沒有人，後面的順位才可以遞補，遞補順序分別是：直系血親卑親屬→父母→兄弟姊妹→祖父母，每一個順位可以分配到的比例也會隨之遞減。

應繼分

是指「應該可以繼承的遺產的比例」，也就是法律最一開始預設繼承人可以繼承的比例。

遺囑

遺囑在法律上的意義，是為了有與法律上預設的遺產分配有不同方式的時候所產生的制度。也就是說，並不是所有交代後代的事項都是法律意義上的「遺囑」，只有跟分配遺產有關的事才是遺囑。

少年知識家

童話陪審團 民法篇

小美人魚，你的交易不合法！

作　　者｜法律白話文運動
漫　　畫｜Ahui
插　　畫｜小島研究站
責任編輯｜張玉蓉、楊琇珊

封面設計｜陳宛昀
行銷企劃｜溫詩潔、王予農

天下雜誌群創辦人｜殷允芃
董事長兼執行長｜何琦瑜
媒體暨產品事業群
總經理｜游玉雪
副總經理｜林彥傑
總編輯｜林欣靜
行銷總監｜林育菁
主編｜楊琇珊
版權主任｜何晨瑋、黃微真

出版者｜親子天下股份有限公司
地址｜台北市 104 建國北路一段 96 號 4 樓
電話｜（02）2509-2800　傳真｜（02）2509-2462
網址｜www.parenting.com.tw
讀者服務專線｜（02）2662-0332　週一～週五：09:00~17:30
讀者服務傳真｜（02）2662-6048　客服信箱｜parenting@cw.com.tw

法律顧問｜台英國際商務法律事務所．羅明通律師
製版印刷｜中原造像股份有限公司
總經銷｜大和圖書有限公司　電話：（02）8990-2588

出版日期｜2022 年 9 月第一版第一次印行
　　　　　2024 年 8 月第一版第十次印行
定價｜400 元
書號｜BKKKC217P
ISBN｜978-626-305-302-1（平裝）

訂購服務
親子天下 Shopping｜shopping.parenting.com.tw
海外．大量訂購｜parenting@cw.com.tw
書香花園｜台北市建國北路二段 6 巷 11 號　電話（02）2506-1635
劃撥帳號｜50331356　親子天下股份有限公司

國家圖書館出版品預行編目 (CIP) 資料

童話陪審團．民法篇：小美人魚，你的交易不合法！／法律白話文運動作；A hui 漫畫；小島研究站插畫．-- 第一版．-- 臺北市：親子天下股份有限公司，2022.09
200 面；18.5x24.5 公分
ISBN 978-626-305-302-1（平裝）

1.CST：民法　2.CST：通俗作品

584　　111012650

立即購買 >